CONFIDENCES

ŒUVRES DE MARCEL PAGNOL

Les films de Marcel Pagnol sont disponibles en vidéo-cassettes éditées par la Compagnie Méditerranéenne de Films.

MARCEL PAGNOL
de l'Académie française

CONFIDENCES

FORTUNIO

Editions de Fallois

Photographie de la couverture :
Jacqueline et Marcel Pagnol

© Marcel Pagnol, 1990.

ISBN : 2 - 87706 - 069 - 1
ISSN : 0989 - 3512

ÉDITIONS DE FALLOIS, 22, rue La Boétie, 75008 Paris.

AVANT-PROPOS

Saviez-vous que c'est grâce à la crise du logement que Marcel Pagnol fit ses débuts au théâtre? Que sa première pièce était intitulée Tonton, *et qu'il préféra, la trouvant un peu légère, la signer du nom de Castro? Que c'est dans le smoking d'Arsène Lupin qu'il alla fêter son premier contrat? Que le jeune homme, énigmatique et sombre, qui faisait crépiter sa machine à écrire dans l'appartement du dessus, pendant qu'il écrivait* Topaze, *n'était autre qu'André Malraux? Toutes ces anecdotes, et beaucoup d'autres, vous les découvrirez en lisant ces* Confidences, *qui sont en quelque sorte les* Mémoires *de Marcel Pagnol.*

Marcel Pagnol a donc écrit ses Mémoires? *Oui, mais il l'a fait sans nous le dire... et presque sans le savoir.*

En 1960, il venait de terminer la publication de ses Souvenirs d'enfance. *Pour la troisième fois, il avait triomphé là où on ne l'attendait pas : à l'auteur dramatique, au cinéaste, avait succédé le prosateur, miraculeusement simple, déjà classique, de cette trilogie. Le succès l'avait enchanté, mais plus encore le goût qu'il avait pris à l'écrire, et il n'avait pas l'intention de s'arrêter là. Le quatrième tome, qui devait s'appeler* Le Temps des Amours, *lui posait quelques problèmes. Mais l'intarissable conteur avait*

5

encore plus d'un souvenir dans son sac, à commencer par ceux de sa grande époque, dans l'entre-deux-guerres. Comment s'y prendrait-il pour les raconter? L'occasion lui en fut fournie par le projet de ses œuvres complètes.

Cette édition des Œuvres complètes *commença en effet à paraître, aux Editions de Provence d'abord, puis au Club de l'Honnête Homme, à partir de 1965. L'auteur avait établi avec soin la version définitive – si souvent remaniée depuis trente ans – de ses pièces. Pour chacune de ses œuvres les plus importantes, il composa une longue introduction.*

Répartis entre plusieurs volumes, publiés sous le nom, modeste et peu engageant, de « préfaces », imprimés en tout petits caractères – ainsi qu'il sied à des préfaces, dont le sort habituel est d'être sautées – ces textes merveilleux sont passés à peu près inaperçus, ont échappé en tout cas à la plupart des lecteurs.

C'est à l'intention de ces lecteurs que nous les avons rassemblés ici. Réunis, ils forment un livre, d'une étonnante continuité. Marcel Pagnol disait de ses préfaces qu'elles étaient des « confidences », parce qu'au lieu de commenter ses œuvres il préférait nous dire les circonstances, évoquer les années dans lesquelles il les avait écrites. Ce sont tout simplement des souvenirs, de nouveaux souvenirs. Après Le Temps des Secrets *et* Le Temps des Amours, *voici donc le temps du public.*

Le temps du public, c'est-à-dire celui des aventures, car le spectacle est toujours une aventure. Une aventure avec des imprévus, des surprises, des rencontres, des querelles, des trahisons, des rires, des larmes. Une aventure où l'on n'est jamais seul. Ce n'est pas un hasard si au théâtre, comme à l'armée, on parle de compagnie et de troupe. Les comédiens sont bien une troupe, qui avance, qui recule, qui obéit ou qui se révolte, qui connaît des Austerlitz et des Waterloo. Et comme Marcel Pagnol nous raconte avec autant d'humour et de malice ses échecs que ses succès, cela nous vaut le récit de certains triomphes, mais aussi de quelques « fours » qui, pour être moins mémorables, n'en ont pas moins, ont peut-être encore plus de saveur.

A travers eux, c'est tout le portrait d'une génération joyeuse et chaleureuse que nous voyons s'animer. Quand débutent ces Confidences, les « années folles » se terminent. L'après-guerre plie bagage. Paris est encore – pour si peu de temps – la Ville-Lumière. Le théâtre jette ses derniers feux, le cinéma commence à briller de tous les siens. Marcel Pagnol n'a pas trente ans. Il découvre Paris, il découvre le cinéma, il découvre le succès, il découvre des écrivains, des comédiens, des musiciens, des metteurs en scène qui sont jeunes, comme lui, encore inconnus, comme lui, et qui vont partir avec lui à la conquête de la célébrité. Les pages qu'il leur consacre sont parmi les plus belles qu'on ait écrites à la gloire de la jeunesse et de l'amitié parce qu'elles sont les plus vivantes. La porte s'ouvre, Popesco passe la tête, Raimu va se mettre en colère, on cherche Fresnay qui a disparu, Volterra mâchonne son cigare, Harry Baur n'est pas libre, Poupon téléphone de Toulon, Jouvet fait des grimaces devant son miroir, Vincent Scotto se verrait très bien dans Jofroi... Les héros de ces confidences ne sont pas des personnages imaginaires et, des histoires bien réelles qui leur arrivent, Marcel Pagnol va faire une légende.

Des histoires, ce livre en est plein, comme en a été pleine son existence. Il y a celle du vase phénicien et de l'érudit, celle de Robert Darzens et de son ourse. Et tant d'autres... Dans un second recueil de confidences, intitulé Cinématurgie de Paris, Marcel Pagnol a raconté sa découverte du cinéma, et le grand événe-

ment que fut pour lui l'apparition du « parlant ». On y lira l'histoire de la bonne vieille qui voulait connaître la fin de César. Il y a l'histoire de Bœuf, le gentil mouton qui avala un seau de plâtre, le prenant pour du lait, et celle de Gaubert, le petit lapin qui aimait jouer avec les deux grands chiens de berger, et qui croyait – erreur commune – que les chiens de berger ne sont que des lapins un peu plus gros que les autres.

Vives, tendres, drôles, belles histoires de Marcel Pagnol, où il n'y a pas d'émotion sans sourire ni de sourire sans émotion. Il ne se lassait pas de les raconter. En les lisant, nous avons l'impression d'assister au dernier et au plus grand de ses films. Celui qu'il n'a jamais tourné mais que, pour notre bonheur, il a écrit : l'histoire de sa vie.

Bernard de Fallois

1

LES MARCHANDS DE GLOIRE

1925

C'EST à la crise du logement, si cruelle pour tant de Français, que je dois toute ma carrière.

Le lycée Condorcet, comme chacun sait (comme chacun sait au lycée Condorcet), est le premier lycée de France. Avant la guerre de 14, le rêve des professeurs de province c'était de finir leur carrière dans une chaire de Condorcet.

Après l'armistice, ceux qui méritaient cet honneur le refusèrent à regret, par crainte de coucher sous les ponts de Paris.

C'est ainsi qu'en 1922, malgré mon jeune âge et l'insuffisance de mes titres, je fus nommé professeur adjoint d'anglais dans cette cathédrale de l'Enseignement.

J'y vins d'ailleurs par ordre, car j'avais d'abord refusé de quitter le lycée Saint-Charles, à Marseille.

J'y menais une vie agréable sous le soleil virgilien, mon emploi du temps n'était que peu chargé, et je dirigeais glorieusement une revue littéraire qui est devenue, grâce à Jean Ballard, les *Cahiers du Sud*. Je composais des poèmes, et je travaillais à des tragédies (en vers, bien entendu) qui mettaient en scène les amours du poète Catulle, ou le séjour d'Ulysse chez le père de Nausicaa.

Paris, que j'imaginais comme une fourmilière sous la pluie, me faisait peur. Les conseils de mes amis, et la paternelle insistance du recteur me décidèrent, et j'arrivai à Condorcet le jour même du grand incendie du Printemps, tandis que l'on pleurait dans les chaumières la défaite de notre Georges Carpentier battu la veille par Battling Siki.

J'eus la chance de retrouver à Paris Paul Nivoix. Il avait dirigé à Marseille un hebdomadaire de théâtre intitulé *Spectator*. La ville de Marseille a peu de soucis littéraires, et ses intellectuels ne lisent guère que les journaux de la capitale. C'est pourquoi *Spectator* fut un jour foudroyé par une thrombose dans sa trésorerie, et Nivoix, « monté » à Paris, était entré à *Comœdia* en qualité de rédacteur.

Comœdia, qui n'a jamais été remplacé, était le seul quotidien des Lettres et des Arts. Ses bureaux occupaient un très bel hôtel particulier, celui-là même dans lequel un habile architecte installa plus tard le Théâtre Saint-Georges.

Grâce à l'amitié de Nivoix, je fus admis à pénétrer dans la salle de rédaction. Chaque soir, en sortant de Condorcet, j'allais y passer une heure. C'est là que je fis connaissance d'une équipe de jeunes journalistes qui devinrent bientôt mes amis : André Lang, J.-P. Liausu, Asté D'Esparbès, Robert de Thiac, Yves Krier.

J'y rencontrai aussi des écrivains déjà connus, comme André Levinson, Fréjaville, et le rédacteur en chef du journal, le tendre et savant Gabriel Boissy, qui fut un vrai poète, un grand critique dramatique, et un homme de bien.

Parce qu'il aimait l'ordre, il tint à justifier ma présence dans cette salle, en me confiant quelques missions de peu d'importance, comme le compte rendu de l'inauguration d'une plaque sur la maison natale d'une gloire littéraire, ou la critique d'une représentation d'amateurs.

C'est ainsi que je pénétrai dans un milieu de gens modernes et joyeux, au cœur même de la vie théâtrale. Boissy me donnait souvent des places pour les répétitions générales : j'eus ainsi l'occasion de rencontrer deux jeunes auteurs déjà célèbres : Jean Sarment et Jacques Natanson, qui étaient les rois de Paris, et qui sont restés mes amis.

Le ton et la couleur de ce milieu n'avaient rien d'universitaire : je commençai bientôt à douter de l'intérêt de mes tragédies grecques ou romaines, et je proposai à Nivoix d'unir nos efforts pour composer un vaudeville.

Cet ouvrage, promptement terminé, s'intitula *Tonton*.

Nous l'avions écrit en poussant de grands éclats de rire. Mais lorsque je relus le manuscrit, je fus consterné par la banalité et la vulgarité de ces dialogues, car, en véritable universitaire, je les estimais par rapport à Marivaux, Beaumarchais ou Alfred de Musset. Pris de remords, je déclarai à Nivoix que la confection d'ouvrages de cette sorte ne valait pas mieux que la prostitution, et je refusai de le signer.

Il en fut surpris et navré.

— Je vais justement déposer le manuscrit à la Société des Auteurs. Si tu ne signes pas le bulletin, tu perds une occasion d'être inscrit à la Société, et tu ne toucheras pas tes droits. Je comprends que tu as peur des réactions de ton père, ou de tes élèves : tu n'as qu'à choisir un pseudonyme !

— Non, NON, lui dis-je. Je ne veux pas garder le moindre lien avec ce tissu d'âneries et de gaudrioles. Tu n'as qu'à le signer tout seul.

— Mais si la pièce rapporte des millions, qu'est-ce que tu diras ?

– J'en serais non seulement stupéfait, mais indigné!

Il haussa les épaules, et me quitta.

Le soir même, il me dit simplement :

– Tu t'appelles Castro.

– Moi? Pourquoi?

– Parce que finalement j'ai trouvé que ce serait malhonnête de signer seul une pièce dont tu as écrit plus de la moitié. Alors, je t'ai déclaré sous le pseudonyme de Castro. C'est court, et puis c'est flatteur. Corneille, *Le Cid*, Guilhem de Castro... Et puis, ça m'est venu à l'esprit comme ça... Si tu veux, tu peux en changer.

Je n'en changeai pas. C'est pourquoi, sur les registres de la Société, mon nom est encore suivi de la mention « dit Castro ».

Les démarches de Nivoix auprès des directeurs parisiens n'ayant eu aucun succès, il alla voir Franck, qui dirigeait alors les deux théâtres de Marseille, et obtint un « tour » aux Variétés : c'est-à-dire que Franck, par amitié pure, décida de prolonger sa saison du 15 au 30 juillet pour la « création » de *Tonton*.

En attendant cette date, des conversations avec Liausu, et surtout avec Robert de Thiac (auteur bien connu du *Train des cocus*), adoucirent quelque peu mon sentiment sur *Tonton*. Certes je refusais toujours de voir mon nom sur cette affiche, mais j'attendais avec impatience le commencement des répétitions, pour faire mon apprentissage d'auteur dramatique.

Ce premier contact avec le métier devait avoir sur ma carrière une influence décisive.

Tout écrivain se souvient du jour où, pour la première fois, il vit sa prose ou ses vers imprimés. La fierté qu'il ressentit ce jour-là n'est que peu de chose auprès de celle de l'auteur qui entend dire ses répliques et qui voit vivre ses personnages : il en tire aussitôt de très précieuses leçons, dont la première est la condamnation définitive du style littéraire : car il entend ses plus jolies phrases tomber à plat sur la scène, du mauvais côté de la rampe.

Tonton fut fort bien joué par Hippolyte de Gerny, qui eût certainement fait une grande carrière de comédien s'il n'était pas mort à trente ans.

La pièce fut représentée une vingtaine de fois, ce qui était un petit succès, et Castro stupéfait, mais joyeux, reçut pour sa part sept cents francs de droits d'auteur : en 1924, c'était une somme importante, puisqu'elle représentait cent cinquante repas dans un restaurant convenable.

Je déclarai aussitôt à Nivoix qu'il fallait écrire une autre pièce, mais qui marquât plus d'ambition.

Nivoix, charmé de notre succès, mais découragé par l'accueil qu'il avait reçu des directeurs parisiens, me dit alors :

– A Paris, aucun théâtre n'en voudra. Ils sont submergés de manuscrits, et ils ne les lisent même pas.

J.-P. Liausu, qui assistait à notre conversation, dit alors :

– Il a raison. Mais il y a un moyen de se faire jouer.

– Et lequel?

– Les Escholiers. C'est une association fort riche, qui a pour but de découvrir et de lancer de jeunes auteurs. Quand ils trouvent une pièce possible, ils louent un théâtre; la pièce est représentée une seule fois devant le Tout-Paris, mais la critique en donne toujours le compte rendu. Je connais bien le Président. Apportez-moi un manuscrit, je vous garantis qu'il le lira.

J'avais grande confiance en Liausu, et je le remerciai de tout cœur. Il ajouta quelques conseils.

– Comme la pièce n'aura qu'une représentation, il faut quelque chose qui fasse du bruit : moderne, d'actualité, et si possible, EXPLOSIF. Si c'est un gros succès, un théâtre la reprendra. Si vous n'avez pas cette chance, en tout cas, vous aurez une tournée en province, votre nom sera connu dans le métier, et vous pourrez peut-être placer la pièce suivante.

Nous décidâmes de nous mettre au travail dès le lendemain, mais il fallait choisir un sujet. Après de longues réflexions je pensai tout à coup à l'histoire de mon ami Robert, ou plutôt à l'histoire de son père.

**
*

En classe de Philosophie, Robert était mon voisin. C'était un garçon plutôt frêle, et qui ne brillait guère dans nos jeux, mais un esprit vif et poétique, et l'un des bons élèves de la classe.

Son père était instituteur, comme le mien, et ils avaient tous deux terminé leurs études dans la même promotion de l'école normale d'Aix-en-Provence.

Ils étaient si sincèrement laïques que leur laïcité était une autre religion. Naturellement bons et généreux, ils croyaient que tous les hommes l'étaient comme eux, et ils militaient dans les rangs socialistes avec une foi inébranlable, et un désintéressement total.

A cette époque, l'armée n'était pas ce qu'elle est aujourd'hui : la noblesse lui donnait les trois quarts de ses officiers. Les socialistes voyaient dans ce fait une survivance de l'Ancien Régime, et fredonnaient volontiers *L'Internationale*, dont un couplet disait clairement :

> *Nos balles*
> *Sont pour nos propres généraux.*

14

Le père de Robert (plus sévère encore que le mien) considérait que les deux grands obstacles au bonheur des hommes étaient l'Eglise et l'Armée, et il dénonçait dans des réunions électorales la criminelle alliance du Sabre et du Goupillon; enfin, il croyait si profondément à la vertu de la Libre Pensée que, s'il en avait eu le pouvoir, il eût employé la trique pour forcer tous les hommes à penser librement, c'est-à-dire comme lui.

Méprisant les décorations, les uniformes (civils ou militaires) et hurlant d'indignation quand un camarade recevait un avancement grâce à des influences politiques, c'était un modèle d'honnêteté, de sincérité, et de courage.

Cet homme intègre et sévère adorait son garçon, son fils unique, qui était son espoir et sa fierté.

Robert fut mobilisé en 1914, à la grande indignation de son père, qui voyait dans cette guerre une machination des marchands de canons, alliés aux banquiers et aux pétroliers.

C'est en février 1916 à Verdun, que Robert, aspirant d'infanterie, fut tué sur sa mitrailleuse. Seul survivant d'un fortin, il avait tenu en échec un bataillon ennemi toute une journée et fut glorieusement cité à l'ordre de l'armée.

Le malheureux militant fut foudroyé par l'irréparable catastrophe. Une congestion cérébrale le terrassa. Il flotta pendant six mois entre la vie et la mort, et ce n'est qu'après des semaines qu'il retrouva l'usage de la parole. Mon père, qui allait le voir souvent, me disait : « Il est méconnaissable, ce n'est ni son visage, ni son regard, ni sa voix. Je n'ai jamais vu un si profond désespoir. Certainement, il va mourir ».

Pourtant, quelques mois plus tard, grâce au dévouement de sa femme, et à l'affection des amis qui l'entouraient, le malheureux reprit un peu de vigueur, et parut entrer en convalescence. Soutenant sa marche d'une canne, il fit quelques promenades au soleil, et ne repoussa plus la nourriture.

*
**

Enfin un beau jour, il y eut une prise d'armes dans la cour d'Honneur de la Préfecture, et il fut invité à venir recevoir la croix de guerre et la médaille militaire de son fils.

Malgré son antimilitarisme, il ne manqua pas d'assister à la cérémonie, au premier rang, et au garde-à-vous, entre d'autres pères en deuil. L'accolade du général fit couler ses larmes. Sur le chemin du retour il dit à ses amis qu'il n'eût jamais accepté la moindre décoration pour lui-même, mais qu'il avait jugé n'avoir pas le droit de refuser des honneurs offerts à son fils, dont cette émouvante cérémonie prolongeait en quelque sorte la mémoire.

Quelques semaines plus tard, il se laissa inscrire à l'Association des Parents de Héros, participa à des défilés, et ne douta plus de l'existence de la Patrie : la nier, c'eût été reconnaître que son fils était mort pour rien.

Enfin, il fut très vite nommé Directeur d'une école importante : avancement qui n'était pas normal, mais que le ministre lui offrit pour alléger son malheur; il me semble que c'était justice, mais ses amis furent surpris qu'il ne l'eût pas refusé.

*
**

Quelques années plus tard, comme je passais à Marseille, mon père m'annonça qu'il y aurait le lendemain une cérémonie au cimetière Saint-Pierre pour le retour des corps de plusieurs officiers et soldats tombés au champ d'honneur, et que mon ami Robert faisait partie de ce triste convoi.

Nous allâmes, pieusement, y assister.

Une foule émue et silencieuse accompagnait les restes de ces jeunes martyrs. Le père de Robert, dans un complet noir de bonne coupe, portait sur un coussin les décorations de son fils. La tête haute, il écouta les discours du préfet et du général, et ne parut point choqué lorsque l'évêque bénit solennellement les cercueils : il nous fit de loin des signes d'amitié, mais ne vint pas jusqu'à nous, parce que le préfet l'emporta dans sa voiture.

Mon père, mélancolique, me dit :

— Il vient d'être nommé officier d'Académie et il veut faire de la politique. Aux prochaines élections, il sera peut-être conseiller municipal.

Je pensais à mon ami mort pour la Patrie, et je dis tout à coup :

— Si Robert ressuscitait brusquement je me demande ce qui se passerait...

— Il est évident que son père serait dans une situation assez fausse — mais je suis sûr que sa joie serait profonde et sincère et qu'il n'hésiterait pas à renoncer à tout. Il ne faut pas mal le juger. Je sais que s'il a accepté de vivre et de prospérer, ce n'était que pour faire honneur au père de son fils, et pour glorifier sa mémoire. Du moins, je crois qu'il le croit.

Nous fîmes encore quelques pas entre les tombes, où je pouvais lire *Regrets éternels* à travers des grilles rouillées. Mon père s'arrêta, et dit :

— C'est La Rochefoucauld qui a raison. Nos idées et nos convictions prennent très vite la couleur de nos intérêts.

*\
**

Comme je cherchais, selon le conseil de Liausu, un sujet « explosif », et si possible « d'actualité », je racontai cette histoire à Nivoix, qui la trouva admirable, et nous établîmes aussitôt le scénario.

***

Nous étions, à cette époque, férus de Becque et de Mirbeau. La jeunesse, qui a tant de raisons de rire et d'aimer la vie, se montre volontiers (lorsqu'elle écrit) amère et sarcastique. Fort des conseils de Liausu, je m'efforçai d'inventer des répliques « à la dynamite ». J'en trouvai un bon nombre, car il n'est rien de plus facile.

Nivoix s'était réservé les rôles de femmes, car il prétendait connaître à « fond » le sexe faible.

Cette prétention se fondait sur le fait qu'il avait été cocu, fait dûment établi par un commissaire de police, dont il considérait le « constat » comme une sorte de diplôme. Je n'avais rien d'autre à lui opposer que des titres universitaires : je m'inclinai donc devant son expérience de la psychologie féminine, et il me prévint qu'il allait écrire ces scènes avec du « vitriol ».

Nous travaillâmes ainsi pendant près d'un mois : le soir, chacun lisait à l'autre ce qu'il avait écrit dans la journée. Nous en révélions parfois quelques pages à Liausu dont l'admiration fraternelle nous encourageait à renforcer la dynamite et à concentrer le vitriol. Il avait déjà parlé de la pièce au président des Escholiers, qui attendait notre manuscrit avec une impatience gourmande.

***

Nous en étions là, lorsqu'un soir, à six heures trois quarts, je trouvai Nivoix en haut des marches de

18

Condorcet. Il n'avait pas sa figure ordinaire, et paraissait illuminé.

— Un grand coup de veine! me dit-il. Tu connais le Théâtre de la Madeleine?

— J'en ai entendu parler, dis-je. C'est un théâtre tout neuf?

— Oui. Une salle magnifique, qui est dirigée par Robert Trébor et André Brulé. Leur pièce ne marche pas comme ils voudraient : ils en cherchent une autre pour le début d'avril. Ils ont entendu parler de la nôtre par un commissaire des Escholiers : Trébor, que je suis allé interviewer pour *Comœdia* ce matin, nous invite à faire chez lui une lecture du manuscrit.

— Quand?

— Demain soir.

— Tu sais bien, dis-je, que nous n'avons pas de manuscrit dactylographié...

En effet, nous étions fort pauvres et nous attendions tous deux la fin du mois pour porter nos brouillons chez Compère qui a fait « taper » presque toutes les œuvres dramatiques de ce temps.

— Nous aurons les copies demain matin, dit Nivoix. Regarde ça.

Il me montra ce qu'il portait sous le bras : c'était une machine à écrire.

— Où l'as-tu volée?

— Elle appartient, dit-il, au journal *Comœdia*. Si je l'avais demandée, on me l'aurait prêtée. Je la rapporterai demain matin.

— Mais qui va se servir de cette machine?

— Moi. Lorsque j'ai été gazé pendant la guerre, on m'a versé dans l'auxiliaire : j'ai rempli les fonctions de secrétaire dactylographe pendant deux ans. Viens, dépêchons-nous.

Nous allâmes chez moi pour y prendre plusieurs liasses de feuilles volantes et de cahiers d'écoliers qui constituaient le manuscrit original des *Marchands de Gloire*.

Nous allâmes ensuite chez lui, dans un minuscule rez-de-chaussée de la rue Taitbout. Sa porte touchait celle du concierge et seule une assez mince cloison séparait cet « appartement » de la loge.

Il avait déjà préparé des sandwiches, et une bouteille de vin blanc.

Nous travaillâmes toute la nuit.

Je fouillais les liasses de feuilles volantes, et je cherchais au dos d'un bulletin de retenue la suite d'une scène commencée sur une enveloppe de *Comœdia*. Je dictais. Nivoix tapait.

La machine à écrire était d'un modèle très ancien. Les tiges d'acier qui portent les lettres avaient un bon pan de long. Au repos, elles étaient horizontales, mais dès qu'un doigt frôlait une touche, la tige surgissait avec une vitesse incroyable, et traversant le ruban et le papier, une lettre se plantait dans le rouleau de bois sec et sonore. Surpris tout d'abord par cette nervosité de piège à rats, Nivoix, après quelques gammes, avait acquis le maniement de la crépitante mécanique; il tapait gravement, très digne, le buste droit, la lippe proéminente. Ses grandes mains volaient sur le clavier, il avait l'air de Paderewski, mais la musique qu'on entendait faisait penser à trois mille noisettes dégringolant un escalier de bois.

De temps à autre, nous prenions quelques minutes de repos. Il trempait ses mains dans de l'eau chaude, je lui massais les doigts, nous buvions un coup de vin blanc, et tandis que je reprenais ma dictée d'une voix enrouée de sommeil, le crépitement recommençait. Cette épreuve dura toute la nuit. Au petit jour, la dernière réplique était tapée, et nous classâmes les feuilles qui jonchaient le tapis. Nous fûmes ravis par l'épaisseur du manuscrit complet, dont nous possédions – enfin – trois exemplaires. Rafraîchis par notre orgueil, et par quelques ablutions, nous sortîmes pour prendre un peu d'air, et un café crème dans un petit bistrot du matin.

Devant la porte, le concierge balayait le trottoir préalablement arrosé. La rue Taitbout était vide, le jour n'avait pas toute sa couleur.

Le vaillant balayeur avait de gros yeux bleus, de fortes moustaches blanches et il portait un de ces tabliers qui ont une poche sur le ventre, comme les sarigues.

A notre passage, il nous souhaita le bonjour et nous répondîmes à ses vœux. Alors il fit un pas vers nous et, les deux mains croisées en haut de son balai, il dit, d'une voix qui fumait dans le petit matin :

– Excusez-moi, monsieur Nivoix, je voudrais bien savoir ce qui vous a pris, de jouer des castagnettes toute la nuit?

– J'ai tapé à la machine, dit Nivoix. C'était pour un travail urgent.

– Un article pour votre journal? demanda respectueusement le concierge.

– Non, dis-je. Nous avons écrit une pièce de théâtre, et il nous en fallait une copie pour ce matin. Les directeurs d'un grand théâtre nous l'ont demandée.

Le balayeur ouvrit de grands yeux.

– Vous écrivez des pièces de théâtre?

Il avait l'air émerveillé.

– Oui, dit Nivoix.

Avec une fausse modestie répugnante, il ajouta :

– Tout au moins nous essayons.

– Des pièces de théâtre! répéta le concierge.

Il nous regarda tous les deux avec une admiration pensive.

Nous le regardions aussi, immobiles et souriants,

comme chez le photographe... Enfin, il secoua la tête, et dit :

– Moi, je n'aurais pas la patience.

*
**

Nous étions prêts pour la lecture. Mais qui lirait? Je comptais sur Nivoix, il comptait sur moi. Il m'avoua que sa voix s'enrouait très vite, je lui confiai que je lisais très mal : nous courûmes chez notre ami René Simon.

René, qui venait de sortir du Conservatoire avec deux premiers prix, habitait la rue du Temple, sous les toits, dans un appartement composé de pièces très petites, qui n'étaient pas toutes au même niveau. Les fenêtres s'ouvraient sur la cour, mais René prétendait qu'on avait une « belle vue », parce qu'une jeune dame, qui habitait tout juste en face, faisait sa toilette la fenêtre ouverte avec une indifférence de statue. C'était une fausse blonde.

J'allais souvent chez lui, un pain sous le bras et un saucisson dans la poche, avec l'espoir qu'il aurait au moins du fromage et du vin. Je lui lisais mes œuvres poétiques, qu'il trouvait géniales; il me jouait des scènes de Molière, et je lui disais sincèrement qu'il était sublime, tout en surveillant la fenêtre de la blonde, soudain illuminée pour la toilette du soir.

René venait d'avoir un grand succès au Théâtre de l'Œuvre, dans une pièce remarquable de Paul Blanchard intitulée *Monsieur Potassium*, et nous avions compté sur lui pour le rôle principal de nos *Marchands de Gloire*... Il accepta avec joie de venir lire nos cinq actes chez Trébor.

Nivoix possédait un smoking. André Brulé m'en prêta un, qui était celui d'Arsène Lupin, et un généreux ami confia le sien à René. Ce fut un soir de gloire.

22

Parisys, dans tout l'éclat de sa jeunesse parée de diamants, présida le dîner. C'était au troisième étage, dans la rue La Boétie, et pourtant un ruisseau, entre deux berges de rocaille, traversait la salle à manger en murmurant.

Il y avait une douzaine d'invités : des messieurs dont les smokings s'ornaient du ruban rouge, ou d'une rosette; l'un d'eux, fort sympathique, était le Président d'une dizaine de compagnies d'assurances; il n'en manquait pas lui-même car son nom était imprimé *sur la tranche* de l'annuaire du téléphone, ce qui n'a encore jamais été accordé à aucun écrivain...

Ces messieurs étaient accompagnés de dames encore jeunes et d'une parfaite élégance, qui avaient des colliers de lumière et des mains étincelantes. Je m'aperçus qu'il en manquait une, car une chaise était vide à côté de la mienne.

De l'autre côté de la table, siégeait un seigneur corpulent.

> *Le plus ossu de quant qu'ils furent*
> *Le plus corsu et le greignor.*

Il me montra du doigt la chaise vide, et m'expliqua cette absente en disant :

– C'est la Belle Paméla. Elle n'arrivera que vers onze heures. Elle joue aux Folies-Bergère.

Avec une fierté qui me donna à penser, il ajouta :

– Elle est Première Femme Nue.

Je manifestai mon admiration en ouvrant mes yeux tout grands.

– Vous remarquerez, me dit-il, que toutes les femmes nues – je dis TOUTES – entrent en scène en arrondissant gracieusement leurs bras *au-dessus* de leur tête. Pourquoi? Voulez-vous me dire pourquoi?

Je ne sus que répondre à ce technicien.

– Tout simplement, me dit-il avec un sourire désabusé, pour maintenir leurs seins à l'horizontale. Tandis que Paméla entre en scène dans la position du soldat au garde-à-vous, les mains sur la couture de son pantalon, quoiqu'elle n'ait pas de pantalon. Et ça *tient*, Monsieur, ça reste pointé vers l'horizon... Voilà pourquoi elle est considérée dans toute la profession comme une sorte de Sarah Bernhardt des Femmes Nues.

Je lui répondis par un sourire de connaisseur, et deux hochements de tête de félicitations, car il paraissait prendre ces seins à son compte, mais je me demandais ce qui arriverait si la Belle Paméla se risquait un jour à lever les bras.

Elle arriva d'ailleurs au dessert, beaucoup moins décolletée que les autres dames, sans doute pour marquer qu'elle avait fini de travailler. J'admirai son corsage, dont l'étoffe était aussi fortement tendue que celle d'un parapluie ouvert. Elle était belle, muette, et vaillante, car pendant que nous en étions aux fruits, elle expédia les hors-d'œuvre, le poisson, le rôti, et le reste.

Ce dîner fut aussi plaisant que riche. René Simon, fort à son aise, exposait avec passion ses théories sur l'Art Dramatique. Nivoix ne parlait guère, et paraissait inquiet. Quant à moi, je doutais fort de notre réussite; il me semblait que ces gens aimables, et sans aucun doute fort riches, resteraient insensibles aux malheurs d'un petit employé de préfecture de province...

Je me trompais.

Pendant la lecture, la Belle Paméla, qui portait dans sa dure poitrine un cœur tendre, ne put s'empêcher de pleurer aux dépens de son rimmel, et André

Brulé lui-même, le célèbre « Danseur inconnu », l'illustre « Arsène Lupin », avait ri de grand cœur aux bons endroits.

Enfin Parisys affirma que cette pièce était un chef-d'œuvre, et le très sympathique assureur déclara que nous allions voir une seconde bataille d'*Hernani*, ce qui nous vaudrait plusieurs centaines de représentations.

Nous partîmes ivres de champagne et de joie.

Le lendemain, nous eûmes une déception : Trébor nous expliqua fort gentiment que le Théâtre de la Madeleine n'était pas les Escholiers, et qu'il ne pouvait pas mettre en tête d'affiche René Simon, frais émoulu du Conservatoire, mais qu'il était tout disposé à lui confier le meilleur rôle de la pièce, celui de Grandel.

René le refusa avec une grande dignité, et parut cruellement offensé par une proposition aussi inconvenante. En réalité il ne tenait guère à monter sur la scène, car il était déjà dévoré par cette passion de l'enseignement qui a fait de lui le plus célèbre professeur de Paris, et c'est par pure délicatesse qu'il nous joua pendant quelques jours le personnage muet de l'ami trahi, mais qui pardonne.

Gabriel Signoret, qui était une grande vedette, et le meilleur des hommes, eût bien voulu prendre le rôle de Bachelet : mais il ne pouvait quitter le Théâtre Michel, où il avait un très beau succès. Pour nous consoler, il accepta de diriger la mise en scène des *Marchands de Gloire*. Les répétitions nous émerveillèrent.

Constant Rémy, aussi habile que sincère, interprétait le rôle principal avec beaucoup de charme et d'émotion. Suzy Prim était belle et gracieuse, Pierre Renoir sobre et puissant. Quant au gros Berley, son cynisme inconscient éclairait toute la pièce. André Brulé me disait à voix basse : « C'est lui qui va tout ramasser. »

A la veille de la « générale », on nous annonça triomphalement que le Président du Conseil, Edouard Herriot, avait fait savoir qu'il assisterait à cet événement. Deux ministres avaient demandé une loge. Des journalistes importants nous offraient des « interviews ». Les anciens combattants et les associations de mutilés nous apportaient leur soutien, et annonçaient dans leurs bulletins la naissance de cette œuvre « vengeresse ».

Tout ce bruit préalable nous remplit de vanité, puis à la réflexion, d'inquiétude. Mes amis de Condorcet me réconfortaient, mes élèves (et parmi eux le célèbre chansonnier Jean Rigaux) me regardaient avec une admiration qui semblait me promettre de cruelles moqueries en cas d'échec.

La répétition générale commença par une autre déception. Le Président Herriot et les deux ministres avaient fait savoir qu'ils ne viendraient pas : le ministère avait été renversé dans l'après-midi. Je pensai qu'ils devaient « cavaler » dans tous les sens pour faire partie de la prochaine combinaison, et comme je jouissais encore de l'absurde prétention de la jeunesse, je dis à Trébor : « C'est tant pis pour eux. » Oui, la jeunesse c'est aussi bête que ça. Et aussi beau.

La représentation obtint un triomphe.

J'en ai rarement vu de pareil. Le dernier rideau fut

salué par de longues acclamations... Nous étions tout tremblants dans la coulisse. Nos interprètes nous serraient sur leur cœur, des dames inconnues nous embrassaient; un monsieur en frac, très ému, me serrait les deux mains, et me disait : « Te souviens-tu de Sainte-Barbe, en seconde? » Je n'osai pas lui répondre que je n'avais jamais pénétré de ma vie à Sainte-Barbe, tandis que sa femme répétait : « Voilà des années qu'il me parle de vous! »

André Brulé reprenait vertement un journaliste, qui avait osé dire « En voilà pour cent représentations » :

– Jeune homme, je vous rappellerai, à la trois centième, ce que vous venez de dire aujourd'hui!

Signoret – au sortir du Michel – était arrivé tout maquillé, dans son costume de scène, et chuchotait son amer regret de n'avoir pas créé le rôle. Bref, c'était la réussite éclatante bien au-delà de nos espoirs.

Je ne sais plus – et d'ailleurs je n'ai jamais su – en quels lieux on nous mena boire pour célébrer cette victoire. Je vois encore une douzaine de personnes en habit ou robe du soir, dans des établissements d'un luxe que j'avais ignoré jusqu'à ce jour. Nous buvions, en parlant tous à la fois. La salle se vidait peu à peu, mais nous parlions et nous buvions toujours. Il y avait des maîtres d'hôtel qui dormaient debout, et des garçons qui tournaient vers nous de pâles sourires suppliants. Alors, le propriétaire de la Belle Paméla tirait sa montre de son gousset et disait : « Suivez-moi. Au Pélican, ils ne ferment qu'à trois heures. » On le suivait.

Cet exode savamment dirigé se renouvela plusieurs fois, mais il me semble qu'à mesure que la nuit s'avançait, les établissements changeaient de style, et même de catégorie : pourtant, notre troupe s'était augmentée de deux pochards fort distingués, et de

27

trois ou quatre dames élégantes. Vers quatre heures et demie, comme on nous chassait (aimablement) du dernier bistrot, notre guide dit en souriant :

– Maintenant tout est fermé. Mais j'en sais un qui ouvre à cinq heures. Suivez-moi.

En route, une grande et belle blonde qui chantait dans les music-halls, et qui ressemblait – de dos – à Georges Carpentier habillé en femme, me proposa de « laisser tomber ces corniauds », et d'aller chez elle pour « le coup de l'amitié ». Je ne me sentais pas en état de soutenir une conversation de ce genre : mais comme elle allait m'emporter sous son bras, Nivoix intervint. Ivre, mais grave, il déclara « qu'on nous attendait au journal ».

Ce prétexte absurde nous permit de prendre congé de la compagnie (qui d'ailleurs n'était plus en état de raisonner) et d'épargner à la belle Putiphar une très humiliante déception.

Nous partîmes bras dessus bras dessous, c'est-à-dire l'un soutenant l'autre, le long des rues désertes, et Nivoix s'écria : « Enfin seuls! »

Je pensais comme lui, car nous avions à nous dire plus de choses, et plus importantes, que n'en exprime d'ordinaire la première conversation nocturne des nouveaux époux.

Comme il nous eût été impossible de dormir, nous décidâmes d'aller finir la nuit dans son rez-de-chaussée de la rue Taitbout, pour y attendre l'heure où paraissent les journaux du matin.

Tout en buvant de grands verres d'eau fraîche, Nivoix, qui était un esprit pratique, attira mon attention sur un aspect de notre affaire auquel je n'avais pas encore pensé.

– Ecoute-moi bien, dit-il. Tout le monde est d'avis que notre pièce a dans le ventre au moins trois cents représentations. Ce n'est peut-être qu'un minimum, mais acceptons-le.

– Je l'accepte sans discussion.

– Bien. Or, Gobin, l'administrateur, la tête froide, l'homme des chiffres – tu conviendras que ce n'est pas un plaisantin –, affirme que nous pouvons espérer une recette moyenne – je dis MOYENNE – de vingt mille francs par jour. Tu me suis?

– Je te suis.

– Nos droits d'auteur seront de dix pour cent sur le brut. Soit deux mille francs par jour : mille francs chacun. Multiplie ce chiffre par trois cents, soit trois cent mille francs pour toi, trois cent mille francs pour moi...

– Ecoute, Paul, ne nous berçons pas d'illusions. Je crois que tu as bu trop de champagne, et que...

– Alors tu refuses d'admettre que trois cents multipliés par mille font trois cent mille?

– Mais tu ne te rends donc pas compte que trois cent mille francs représentent cinquante ans de mes appointements à Condorcet?

– Je le sais, et je m'en réjouis! Et de plus, ce ne sera qu'un commencement, car à partir de ce soir, tous les théâtres nous sont ouverts – et dès la semaine prochaine nous allons mettre en chantier une autre pièce, et pour un théâtre que nous choisirons. Lequel préfères-tu? Le Vaudeville, les Variétés, le Gymnase, la Comédie-Française?

– Tu crois que...

– Je ne crois pas, j'en suis sûr.

– La Comédie-Française?

– Mais oui, mon pauvre vieux! A part les classiques, ils n'ont pas eu, depuis longtemps, une bonne pièce moderne! Ecrivons-en une, et tu verras Monsieur Emile Fabre nous la demander à genoux, là, sur ce tapis. Et nous la lui refuserons!

– Pourquoi?

– Parce qu'avec leur système d'alternance, il faut deux ans pour atteindre une centième! Non, non,

non, pas de Comédie-Française. Ça nous coûterait trop cher !

C'est ainsi que le 16 avril 1925, sur les cinq heures du matin, dans un petit rez-de-chaussée de la rue Taitbout nous repoussions, pour de basses raisons pécuniaires, les supplications de Monsieur Emile Fabre agenouillé.

*
**

Dès six heures et demie, nous avions en main les grands quotidiens : plusieurs critiques importants avaient déjà donné leurs articles. Le lecteur lira plus loin quelques-uns de ces dithyrambes, qui nous sacraient auteurs dramatiques, et nous mettaient d'emblée au rang de nos aînés.

Installés dans le somptueux bureau de nos directeurs, nous passâmes des heures enivrantes à lire – et à relire – les premiers articles parus le matin même, puis ceux de l'après-midi, enfin ceux du soir, tandis que notre cher Liausu courait les imprimeries de presse, et nous apportait les « morasses » des comptes rendus du lendemain. Il annonçait son arrivée par des cris d'enthousiasme qui retentissaient dans les escaliers, et nous lisait lui-même les éloges surprenants des grands critiques de ce temps.

Le soir de ce beau jour – le soir de la première – nous étions au théâtre bien avant le lever du rideau, et nous faisions la tournée des loges de « nos » comédiens, qui se préparaient fiévreusement pour la bataille décisive.

Chacun d'eux avait apporté des journaux, qu'ils échangeaient avec des exclamations de joie.

Trébor arriva à son tour, et nous félicita, une fois de plus, chaleureusement : nous le remerciâmes de même.

– Nous avons ce soir, dit-il, une salle comme on

n'en voit qu'aux grandes occasions... Le Tout-Paris est là. Naturellement la recette n'est pas très forte car nous avons dû lancer des invitations aux personnalités les plus importantes. D'ordinaire, elles nous les renvoient. Mais à cause de cette presse triomphale, ils sont tous venus aujourd'hui. C'est un grand signe de victoire!

Je descendis sur la scène, pour admirer la « très belle salle » à travers le guignol, qui est un trou dans le rideau. L'orchestre était vraiment bien garni : des centaines de smokings et de colliers de perles, des hommes fort distingués, des femmes éblouissantes, dont les entrées faisaient naître des rumeurs d'admiration. Je vis cependant que la loge centrale du balcon restait vide, et j'en fus épouvanté : mais sa porte s'ouvrit soudain : sous une tremblante aigrette de diamants, une princesse des Mille et Une Nuits y entra, dans l'instant même où le régisseur frappait les trois coups.

Le public nous parut un peu lent à s'échauffer, et le prologue ne fut pas longuement applaudi.

Nous en fûmes presque indignés, et Nivoix déclara :

– Ce sont des snobs, mais attends un peu : on va les avoir!

On les eut en effet, car à partir du milieu du premier acte, les rires fusèrent, avec des « Oh! » qui exprimaient une indignation amusée; la pièce se termina sous des acclamations.

Le lendemain, nous eûmes une horrible surprise : la buraliste nous dit – un peu gênée – que « la location n'avait pas démarré ». Mais elle nous fit remarquer qu'il avait plu toute la journée, et que la crise ministérielle n'était pas encore résolue... Ces explications étaient belles et bonnes, mais n'atténuèrent pas mon inquiétude.

André Brulé, qui nous attendait en coulisse, ne parut pas le moins du monde découragé.

— Ce qui se passe est absolument normal! dit-il. Nous n'avons pas de grande vedette, dont la présence eût déclenché un succès immédiat... Je dis que cette pièce, dont la carrière est assurée, ne peut pas démarrer avant quatre ou cinq jours.

Trébor, qui l'écoutait, immobile et les mains dans les poches, tandis que le régisseur frappait les trois coups, dit alors ces paroles affreuses :

— Si elle démarre.

Sans le moindre point d'exclamation.

Le prologue commença aussitôt. Nous écoutions, mais nous n'entendions que la voix des acteurs.

Dans la salle, un silence total. Nivoix était sombre.

Je lui dis :

— Ce soir, je les trouve un peu froids...

— Pas du tout, s'écria Brulé. La pièce commence à peine; ils écoutent, ils *emmagasinent* l'exposition. Je trouve que ce silence est un très bon signe; et une preuve d'intérêt.

A ce moment, le régisseur qui suivait la pièce par une sorte de guichet s'avança rapidement sur la pointe des pieds, sa brochure à la main. C'était un pur Parigot.

— M'sieu Brulé, dit-il, j' sais pas c' qui s' passe, mais il y a la moitié de l'orchestre qui s' débine. V'nez voir!

C'était une caravane Cook, qu'une agence nous avait envoyée : des Anglais, des Hollandais, des Belges. Ils étaient cent douze, nous dit la buraliste. Ces braves gens, venus à Paris pour voir les Folies-Bergère et le French Cancan, avaient été fort douloureusement surpris et presque indignés lorsqu'ils eurent compris qu'ils ne verraient pas de femmes nues : ils s'étaient anxieusement tournés les uns vers les autres, et sur un signe de leur chef, ils s'étaient levés tous ensemble, et ils sortirent en rangs pressés, laissant à l'orchestre une immense tache de pelade, au centre de laquelle un spectateur égaré restait, solitaire, aussi inquiet que Robinson.

Nous eûmes cependant une consolation : d'autres articles venaient de paraître, signés par Robert de Flers, André Antoine, Lucien Dubech, Robert Kemp, les grands maîtres de la critique. Leurs louanges étaient unanimes. André Rivoire, auteur dramatique de talent et délicieux poète, avait l'honneur de rédiger la Chronique dramatique du *Temps*, après Francisque Sarcey et Adolphe Brisson, et voici ce qu'il disait de nous :

> *Pièce satirique sur les mœurs politiques d'après-guerre, d'une vigueur saisissante, d'une ironie atroce, dont bien peu d'écrivains de théâtre sont aujourd'hui capables. Ils débutent en maîtres, et je serais bien étonné si tous deux, ensemble ou séparément ou à tout le moins si l'un des deux ne se faisait pas un grand nom de théâtre... Becque eût admiré une pièce comme celle-là.*

Cette phrase, cette dernière phrase nous mit les larmes aux yeux. Becque, notre maître, notre idole, quelle gloire de voir son nom dans une chronique qui parlait de nous...

Nous fûmes aussitôt persuadés que cette floraison

d'éloges allait déclencher une véritable ruée vers le Théâtre de la Madeleine. Mais le lendemain, puis le surlendemain nous attendîmes en vain les envahisseurs.

Le septième jour, l'espoir revint.

Quelques jeunes gens nationalistes sifflèrent violemment la pièce, qu'ils déclarèrent antipatriotique. Un groupe de mutilés applaudissait chaque réplique. Une petite bagarre éclata dans la salle, on en parla dans les journaux. Nivoix me dit : « Nous sommes sauvés »...

Le lendemain, nous arrivâmes au théâtre au milieu du premier acte. Trébor, dans son cabinet directorial, était lugubre. Pourtant c'était un samedi.

— Où en sommes-nous? demanda Nivoix.

— Venez avec moi, dit Trébor.

Nous le suivîmes, inquiets.

Comme nous arrivions dans le couloir du balcon, nous entendîmes des applaudissements, et des bravos, qui nous réchauffèrent le cœur.

Trébor ouvrit la porte d'une loge : la salle était vide, sauf deux rangs au milieu de l'orchestre.

— Voilà, dit-il. Ils sont quarante-sept.

Nous fûmes consternés. J'essayai de réagir.

— Ils sont quarante-sept, dis-je, mais ils applaudissent comme cinq cents.

— Je dirai même, répliqua Trébor, qu'ils applaudissent comme mille, mais ils ont payé comme douze, parce qu'il y a trente-cinq invités.

La pièce fut arrêtée à la treizième représentation : le public n'en voulait pas.

Tout naturellement, nous refusâmes d'admettre une explication aussi ridicule : avec l'aide de nos amis, nous en trouvâmes de meilleures, et surtout de plus flatteuses.

La première qui nous vint à l'esprit fut sans doute inventée par l'auteur du premier « four », lors de la naissance du théâtre chinois : on en a fait grand usage depuis. Elle consiste à dire (et à croire) que l'ouvrage est de vingt ans en avance sur son époque, et que la postérité stupéfaite le remettra à sa vraie place parmi les classiques.

Le cher Liausu eut la gentillesse de renforcer cette thèse par des raisons techniques.

— Ce Théâtre de la Madeleine, dit-il, est une salle de luxe. Regardez ces girandoles de cristal, ces fauteuils tapissés d'un velours délicat, ces élégantes arabesques. C'est un cadre parfait pour la stupide comédie des Boulevards, un théâtre sans âme. Votre pièce est beaucoup trop virile, beaucoup trop noble pour cette bonbonnière parisienne; elle aura sa revanche ailleurs!

Nous en convînmes facilement.

— Et puis, nous dit Gabriel Boissy, ce théâtre est tout nouveau, personne ne le connaît, non plus que la rue où Trébor a eu l'imprudence de le construire. Rue de Surène! Tout le monde croit que c'est à Suresnes, en banlieue!

Nous imaginâmes aussitôt de longues colonnes de spectateurs égarés, errant dans les rues de Suresnes à la recherche d'un introuvable théâtre...

D'autres amis nous révélèrent qu'il y avait une cabale des vieux auteurs, qui étaient furieux de voir des jeunes pénétrer dans les théâtres du Boulevard.

Enfin, un vieil acteur famélique nous affirma que notre insuccès était dû à la seule présence de Constant Rémy, qui, selon lui, avait de puissants ennemis dans le monde surnaturel des esprits.

– Je ne discute pas son talent, nous dit-il, quoique... Enfin, je ne le discute pas... mais il est tout le contraire de la chance. Et même s'il avait créé le rôle de Cyrano, ce chef-d'œuvre n'aurait pas fait dix représentations.

L'intervention des forces occultes était une explication rassurante, du moins pour la valeur de notre ouvrage, et nous en fûmes tout ragaillardis.

Nous allâmes en parler à notre cher Signoret. Il parut gêné, et répondit à mi-voix.

– Ce ne sont pas des choses à dire, mais il est bien vrai qu'on chuchote depuis longtemps que Constant, malgré tout son talent, fait fuir le succès... C'est évidemment très exagéré. Pourtant, il faut bien reconnaître que sa carrière ne correspond pas à son mérite : il est faux qu'il repousse le public, il est vrai qu'il ne l'attire pas... La vérité, c'est que la pièce, dans l'ensemble, était mal distribuée : mais ne pleurez pas sur le passé, car je vous prépare une revanche éclatante.

C'était une grande nouvelle.

– Je fais chaque année une saison de huit semaines en Belgique. Six à Bruxelles, puis Liège et Verviers. Je vais jouer le rôle moi-même, et j'ai une si grande confiance que je garde la pièce pour la dernière semaine, la semaine de gala, qui est honorée, le premier soir, de la présence du Roi : ce sera un triomphe, et je la reprendrai à Paris à la rentrée.

Il n'eut pas besoin de parler longtemps pour nous persuader, et nous partîmes un beau matin pour Bruxelles, où il triomphait depuis cinq semaines dans diverses comédies, pour assister à nos représentations de gala.

La première fut encore une fois un grand succès, et nous eûmes l'honneur d'être présentés au Roi, qui nous félicita avec une émouvante simplicité.

Nous étions aux anges, et je me réveillai dans la nuit pour rire de plaisir. Mais le lendemain, nous n'avions qu'une demi-salle; le surlendemain, vingt personnes à peine : le quatrième jour, Signoret consterné dut reprendre *La Fleur d'oranger* pour finir la semaine de gala.

C'était incompréhensible – du moins pour nous. Nous trouvâmes cependant encore une explication satisfaisante : les Bruxellois aiment rire, et la pièce était trop triste pour eux. Et puis, la Belgique avait trop cruellement souffert de la guerre pour en entendre parler sur une scène.

Signoret, peiné par notre échec (et vexé par le sien), nous dit :

– Mes enfants, ne vous découragez pas. Nous allons maintenant à Verviers, je connais mon public de Verviers : ça ne sera pas du tout la même chose!

En effet, ce ne fut pas la même chose : après une représentation glaciale, qui se termina par des huées, un régisseur nous fit sortir du théâtre par une porte dérobée, et nous attendîmes le premier train dans le bureau du chef de gare.

Une heure plus tard la troupe arriva, protégée par la police.

– Mes enfants, dit Signoret, c'est une cabale politique. Il y avait dans la salle des gens qui se croyaient visés, et qui ont organisé ce désastre. La preuve, c'est que j'ai vu plusieurs personnes qui essayaient de réagir, et qui applaudissaient. En particulier, au troisième rang, un petit brun s'est levé plusieurs fois pour crier « Bravo! »

– Oui, dit le régisseur, jusqu'à l'entracte. Après, il n'est pas revenu : c'est moi qui l'ai conduit chez le pharmacien.

*
**

Signoret ne reprit pas la pièce à Paris. C'est alors que Fernand Rivers intervint.

Rivers était un grand et bel homme, qui n'a vécu que pour le théâtre. Non pas le théâtre d'avant-garde, mais le vrai, celui qui s'adresse au peuple, le théâtre théâtral. Il nous a laissé un livre de « Souvenirs » délicieux qui s'intitule *Cinquante ans chez les fous*.

Il avait débuté assez modestement sur les planches, puis il était devenu célèbre au cinéma, sous le nom de « Plouf, l'homme au melon gris ». Au moment des *Marchands de Gloire*, c'était un acteur de premier rang, un directeur de théâtre et un organisateur de tournées. On le disait « radin », parce qu'il savait le prix de l'argent, mais on disait aussi qu'il n'avait jamais manqué à sa parole, et que sa promesse valait un contrat.

– Mes amis, nous dit-il, cette pièce est un chef-d'œuvre : mais d'abord, elle a été mal mise en scène, mal distribuée, et mal jouée. De plus, parce que c'est un chef-d'œuvre, elle a tout naturellement tordu en forme de huit la vésicule biliaire des ratés. Enfin, vous avez attaqué *Les Marchands de Gloire* : ils sont nombreux, riches et puissants. Eh bien, nous allons nous adresser au peuple : vous serez stupéfaits par l'ampleur de sa réponse!

Il avait loué les « Folies-Dramatiques », près de la République : théâtre populaire, mais qui avait dû connaître des jours plus heureux : la salle en était admirablement conçue, et sa coupole tout entière pouvait descendre au-dessous des deux galeries supérieures, de façon à les cacher en cas d'insuccès. Ainsi, ce théâtre était toujours plein, grâce à cette immense presse à viande.

La première obtint encore un triomphe. A moins d'un an de distance, les critiques étaient revenus y assister, et nous consacrèrent de nouveaux articles qui eussent assuré la réussite de n'importe quel ouvrage.

Rivers était au comble de la joie, car il adorait le succès, même celui des autres. Il nous invita à dîner pour le lendemain soir, à sept heures, afin de ne pas manquer le lever du rideau. Il souriait continuellement, même en mangeant, et une noble fierté gonflait sa poitrine.

Nous pénétrâmes sur la scène par l'entrée des artistes. La troupe attendait en coulisses, prête au triomphe. Rivers traversa le plateau vide et à travers le « guignol », il regarda la salle, longuement.

Au bout de cinq minutes, il revint vers nous, et dans la cabine du pompier de service, il prit le téléphone « intérieur » qui permet d'appeler le « contrôle ». Il cria :

– Qu'est-ce que vous attendez pour les laisser entrer?

Le contrôleur, du fond de la boîte à sel, ne répondit qu'un seul mot :

– Qui?

« Ils » n'étaient que trente dans la salle, et dans le hall, il n'y avait personne.

Alors, les joues de Rivers tombèrent, son front se plissa, ses épaules se rétrécirent, et parce qu'il avait joué le mélodrame, il dit dans un murmure tragique :

– Nous sommes Maudits!

La pièce fut jouée quatre fois.

Telle est l'histoire de cet ouvrage, du moins en France, car nous eûmes un vrai succès au Theatre Guild de New York, ainsi que sur plusieurs scènes allemandes : en Union Soviétique, il en existe deux traductions, et on en a fait un film grandiose qui obtint, me dit-on, un très grand succès.

Son échec répété chez nous n'est évidemment pas dû à la cabale, ni à des forces occultes mobilisées contre notre cher Constant Rémy.

Je pense même que s'il y eut une cabale, elle était en notre faveur, car jamais pièce ne fut accueillie avec tant d'amitié; quant aux forces occultes je crois que les esprits méchants de l'au-delà ne se dérangent pas pour si peu de chose. En vérité, je sais maintenant quelle fut notre erreur : nous avions voulu imiter Becque.

La valeur littéraire des œuvres de Becque n'a jamais été contestée. La simplicité de l'intrigue, la clarté et la précision de son style dramatique le placent au premier rang de nos écrivains : mais comme l'a dit un jour un éminent critique, Pierre Brisson, c'est du théâtre « de bibliothèque ». Voilà un très grand éloge, en même temps qu'une sévère condamnation.

J'ai relu dix fois *Les Corbeaux*, chef-d'œuvre de l'école naturaliste et du glorieux Théâtre libre. Dix fois j'y ai retrouvé sinon le même plaisir, du moins le même intérêt; mais chaque fois que ces lugubres oiseaux ont tenté de prendre l'essor sur une scène, ils sont retombés derrière la rampe, aux applaudissements de l'élite et de la critique, mais en l'absence du grand public.

D'ailleurs, la carrière de Becque est jalonnée d'une

série de fours. Seule, *La Parisienne* obtient aujourd'hui un certain succès, mais à Paris même, et il faut remarquer que le grand Antoine, pour garder la pièce à l'affiche pendant deux mois, dut l'accoupler aux joyeuses *Gaîtés de l'Escadron*, qui lui servirent de locomotive.

J'ai longtemps cherché la cause de cet insuccès persistant, qui me paraissait profondément injuste. Je crois l'avoir trouvée grâce à un mot d'Aristote, éclairé par les découvertes de Freud.

La *Poétique* d'Aristote – l'un des plus célèbres ouvrages du philosophe – est une étude assez complète de l'art de la Tragédie et de celui de l'Epopée; la seconde partie du livre, consacrée à la Comédie, a été perdue, et c'est grand dommage : par bonheur, c'est presque au début de l'ouvrage qu'il a posé, en quelques mots, le problème de la « catharsis », qui est selon lui le but et la justification de l'art dramatique.

Ce seul mot, depuis la Renaissance, a fait écrire des milliers de pages par les érudits du monde entier : presque tous l'ont traduit par « purification des passions ». Ce mot de « Purification » fait partie du vocabulaire de toutes les religions, il a une très claire signification morale.

Ainsi la tragédie nous montrerait de basses intrigues et des crimes pour nous en faire sentir l'horreur, et nous détourner du mal, tandis que la comédie, en ridiculisant un avare ou un vaniteux, voudrait nous préserver de l'avarice ou de la vanité.

Il est en effet possible que le théâtre ait cette action moralisatrice; mais à notre avis, elle est secondaire et n'est que la conséquence de son action principale, que nous allons essayer de définir.

« Catharsis », c'est la « Purge », au sens médical et physiologique du mot, et les hellénistes nous disent qu'Aristote ne l'a jamais employé au sens noble de « purification », qui est ici un faux sens.

**

Je suis un homme ordinaire, c'est-à-dire que je n'ai jamais eu le désir de tuer mon père, je n'ai jamais nourri la moindre pensée incestueuse, je n'ai jamais eu l'ambition futile de régner sur un peuple, et que Dieu me préserve de voir un jour quelqu'un s'arracher les yeux. C'est du moins ce que je crois, avec une entière sincérité.

Pourtant, je suis allé voir *Œdipe-Roi*, trois fois dans ma vie, je l'ai lu au moins une dizaine de fois, et je viens de le relire encore cette semaine dans l'admirable traduction de Fernand Aviérinos.

Je me demande donc pourquoi je suis toujours intéressé par ce parricide incestueux qui finit par s'exorbiter, en répandant des flots de sang jusque sur sa bouche hurlante.

C'est ici que Freud intervient, diabolique, et il affirme :

— Cette tragédie te touche parce que tu portes dans ton inconscient le complexe d'Œdipe. Oui, depuis ton enfance tu as obscurément désiré la mort de ton père, parce que tu voulais prendre sa place dans le lit de ta mère. D'ailleurs tous les sentiments, bons ou mauvais, dont un homme est capable, tu les nourris dans ton sein. Oui, tes instincts te portent vers le vol, le meurtre, le viol, l'assassinat, l'inceste. Une longue éducation, qui a formé ta morale personnelle, t'interdit de réaliser ces désirs, et tu les gardes dans un cachot de ta conscience, enchaînés et garrottés par de solides principes. Mais ils s'agitent par moments, ils font tinter chaînes et menottes, ils créent en toi un obscur désordre permanent, une sorte de douleur lointaine et brumeuse qui ne parvient pas jusqu'à ta conscience; tu luttes péniblement – sans le savoir – pour empêcher l'évasion des captifs. C'est cette lutte continuelle que j'appelle le « refoulement ».

L'action bienfaisante du théâtre, qui accorde aux révoltés quelques heures d'une fausse liberté, calme provisoirement leur furie, et t'accorde une détente par le phénomène qu'Aristote appela « catharsis », et qui applique aux humeurs de l'esprit le traitement des humeurs peccantes.

Telle est la vérité.

Non seulement je te l'affirme dans cette courte conversation, mais je te prie de lire les douze ou quinze volumes que nous avons écrits pour la démontrer, et dont les conclusions ne souffrent aucune discussion.

Il me semble que de ce qui précède nous pouvons tirer une théorie du théâtre.

La tragédie calme et détend mes instincts criminels par la thérapeutique du célèbre docteur Rondibilis.

Il enseigne à Panurge, qui est venu le consulter, que « la concupiscence charnelle est refrénée par cinq moyens ».

« Le premier, c'est le vin pris intempéramment ».

« Secondement, par certaines drogues et plantes, lesquelles rendent l'homme refroidy, maléficié, et impotent à génération. »

Panurge refuse aussitôt ces deux remèdes.

« Tiercement, dit Rondibilis, par labeur assidu. »
Ce qui n'est pas non plus du goût du consultant.

« Quartement, reprend Rondibilis, par fervente
estude. » Ce que Panurge refuse encore avec horreur.

« Quintement, dit enfin le docteur, par l'acte
vénérien. »

– Je vous attendois là, dit Panurge, et le prends
pour moi : use des précédents qui voudra!

Pour l'éminent médecin, et pour son patient, le
meilleur remède à la paillardise, c'est de l'assouvir.

C'est ainsi que la tragédie me purge en me faisant
participer à un assassinat, un inceste, une vengeance,
un viol; mais parce que mes instincts criminels sont
affaiblis par leur longue captivité et par la discipline
que je leur impose, il est aisé de les duper en les
faisant complices d'un crime imaginaire, joué sur la
scène par des comédiens, dont je prends à mon
compte les gestes et les sentiments.

Détendus par cette courte sortie, mes monstres
apaisés rentrent docilement dans leur cachot.

De même la comédie me purge, pendant deux
heures, de mon triste complexe d'infériorité, et le
remplace agréablement par un complexe de supériorité.

L'auteur a fait vivre devant moi des personnages
moins intelligents que moi, et il les tourne en ridicule
à mon profit, même et surtout si leur situation
sociale est supérieure à la mienne.

Je les vois dupes de leurs propres défauts, défauts
qui, à mon avis, ne sont pas les miens – et cette
supériorité passagère agit sur moi comme un toni-
que.

– « Castigat ridendo mores » pourrait être traduit

par « la Purification des Mœurs » : ce n'est pas vrai non plus.

Je ne crois pas que la vue de Monsieur Jourdain ou d'Harpagon ait jamais provoqué la conversion d'un seul Bourgeois ou d'un seul Avare. D'ailleurs, ils ne se reconnaissent jamais dans un héros qui fait rire, et ils ont bien raison, car les personnages du théâtre comique sont toujours des caricatures.

Un véritable avare, par exemple, se moquera volontiers d'Harpagon : non pas parce que le personnage est un avare (ce qui lui vaudrait la sympathie confraternelle du spectateur) mais parce que ce malheureux Harpagon ne sait pas déguiser son avarice, et se laisse fort bêtement voler sa cassette.

Quant au Monsieur Jourdain d'aujourd'hui qui a fini par mettre une particule devant le nom d'une modeste ferme, et a obtenu, par la tricherie d'un généalogiste qu'il a payé très cher, un titre de baron, il rira très fort de l'imbécile de Molière, pour prouver à ses voisins qu'il est lui-même un « noble » véritable; et d'autre part, il se moquera sincèrement de Monsieur Jourdain, non pas parce que ce petit bourgeois a la passion de la noblesse – cette passion qu'il a lui-même – mais parce qu'il s'y prend mal, et qu'il achète, au prix de la main de sa fille, un titre qui ne vaut rien, sans comprendre qu'on se moque de lui.

En réalité, cet avare et ce bourgeois auront passé une excellente soirée, parce qu'ils se seront sentis très supérieurs aux personnages qui sont censés les représenter, et le seul profit « moral » qu'ils auront tiré de la comédie, ce sera qu'il faut surveiller de très près les cassettes, cacher soigneusement son avarice, ou se garder d'acheter des titres orientaux.

Nous n'avons pas, fort heureusement, que des complexes criminels ou grotesques. Nous avons aussi besoin d'émotions pures et profondes que la vie ne nous offre que bien rarement. Il nous faut souffrir avec l'innocent condamné, avec la courtisane repentie, avec l'enfance malheureuse, et verser sur leur sort des larmes véritables, pour nous réjouir ensuite de la punition du traître ou du bourreau.

Enfin, les femmes les plus honnêtes ont obscurément le désir d'être pendant deux heures la grande courtisane ou l'épouse infidèle; la femme de chambre monte volontiers sur le trône et l'échafaud de Marie Stuart, la maritorne s'écoute parler avec la voix de Camille, tandis qu'un garçon de bureau brandit l'épée du Cid ou de Cyrano, et qu'un banquier obèse grimpe au balcon de Juliette; enfin, lorsque l'âge commence à tracer sur nos visages ces rides tristement symétriques, le regret de notre jeunesse nous pousse à nous incarner pendant quelques heures dans des personnages jeunes, et à serrer passionnément la chère Marguerite dans nos bras, ne fût-ce que par procuration.

D'une façon plus générale, cette théorie expliquerait pourquoi le peuple, qui a toujours été tyrannisé, préfère la comédie et la farce. Elles lui montrent des personnages qui lui sont inférieurs, parce que l'auteur s'est efforcé de les rendre ridicules, tandis que la cour de Louis XIV, composée de seigneurs dont le plus pauvre était milliardaire, allait applaudir la tragédie; elle leur apportait des inquiétudes et des malheurs qui leur manquaient dans la vie quotidienne.

Sous la Révolution, aux jours les plus sombres de la Terreur, on jouait surtout des farces et des opérettes, et à la fin de la guerre de 14-18, c'est *Phi-Phi*, la joyeuse comédie musicale de Willemetz, qui tint l'affiche pendant cinq ans.

**

A l'époque où le film muet n'était pas encore un art, il faisait cependant le régal des foules; j'entendis un jour un directeur de salle qui demandait à un distributeur de films :

– Dans quelle bobine est la soirée mondaine?

– Dans la quatrième, dit le distributeur.

– J'aimerais mieux dans la dernière, dit le directeur.

– Oh! dit le distributeur, vous pouvez la mettre à la fin, ça n'y changera pas grand-chose...

Il m'apprit ensuite que dans « les quartiers » la bobine de la soirée mondaine était obligatoire, parce que les pauvres veulent partager un instant l'existence de messieurs en habit, et de dames décolletées couvertes de bijoux.

Il semble que de ces remarques nous puissions tirer une conclusion générale. La vertu de la « catharsis », c'est de répondre à ceux de nos désirs qui ne peuvent être satisfaits dans notre vie ordinaire. Nous sommes comme une harpe à mille cordes, et la monotone musique quotidienne n'en utilise que quelques-unes, toujours les mêmes; mais il en est d'autres, et peut-être des plus fortement tendues, qui se taisent dans l'ombre de la morale, des lois, de l'éducation. C'est celles-là que l'Art Dramatique fait vibrer sans péril, pour compléter notre symphonie.

Cet art est donc le complément de la vie : c'est la condamnation du théâtre dit « réaliste », et de l'insupportable « tranche de vie ». Les personnes qui aiment les « tranches de vie » n'ont qu'à se mettre à la fenêtre, ou à coller l'oreille à la cloison qui les sépare du voisin.

Pour que la catharsis agisse pleinement, c'est-à-dire pour que l'œuvre dramatique soit réussie, il faut donc nécessairement que je m'associe – pendant deux heures – à un ou à plusieurs personnages de l'action, que je partage la joie de leur victoire, ou le chagrin de leur défaite : ceci, pour la tragédie.

Pour la comédie, il est indispensable que les personnages soient assez vraisemblables et assez humains pour que j'aie plaisir à me sentir supérieur à eux.

A la lumière de ces idées, il est peut-être possible de comprendre les causes des échecs commerciaux du théâtre de Becque.

***

Voici d'abord une revue sommaire des personnages qui nous sont présentés dans *Les Corbeaux*.

Le père, Monsieur Vigneron, est un directeur d'usine qui gagne beaucoup d'argent, et qui mène la vie à grandes guides : il assure à sa femme et à ses quatre enfants une existence large et brillante. Mais il n'a jamais pensé qu'il pourrait mourir. Il meurt en effet, de mort subite, et laisse une famille ruinée : il n'a pas assuré l'avenir des siens.

De plus, il ne devait pas être bien intelligent, car il a choisi comme notaire un Maître Bourdon, qui est une sombre fripouille, et comme associé un certain Tessier, un bandit féroce et morose. Ces deux messieurs vont se partager les ruines de l'héritage, et mettre littéralement sur la paille la veuve et les orphelines. Décidément, je ne voudrais pas avoir été M. Vigneron, qui fut un égoïste et un imbécile.

Le personnage du notaire ne me tente pas non

plus. Ce sinistre tabellion, pilleur d'épaves et menteur ignoble, m'inspire un profond dégoût, mais rien de plus.

Tessier, lui, a plus de mordant et de relief. C'est un vieux requin, un hypocrite, un avare, et un assez lubrique vieillard. Il a certainement les pieds sales et l'haleine fétide. Je n'ai aucun plaisir à regarder agir Tessier, et je refuse absolument de participer à l'entreprise de ce misérable.

Voici maintenant le fils Vigneron. C'est un petit sauteur, un « bon à rien ». Quand il apprend que tout va mal, il s'engage dans l'armée : élégant moyen de se tirer d'affaire et de « laisser tomber » sa mère et ses sœurs.

Les femmes ne sont pas mieux partagées. La mère est une bourgeoise banale. Elle ne sait absolument rien des affaires de son mari : à tel point qu'elle croit avoir cinquante mille francs de rente, alors qu'il s'agit du capital, c'est-à-dire de vingt fois moins. Victime si parfaitement amorphe, que sa nullité semble finalement justifier l'audace des Corbeaux.

La fille Blanche « s'est donnée » à un jeune homme qui devait l'épouser. Elle est enceinte, mais elle est ruinée. Ce charmant fiancé se récuse donc et sa mère vient injurier à domicile la malheureuse imprudente, qui ne peut que pleurer.

C'est une oie grise, vaguement sympathique parce qu'elle a cru à l'amour, le fiancé et sa mère sont des brutes qui ne pensent qu'à l'argent.

La fille aînée, Judith, se croit pianiste parce qu'elle a pris des leçons de piano. Elle déclare à son professeur que, pour nourrir la famille, elle va à son tour donner des leçons.

Ce professeur, qu'elle paie depuis plusieurs années, et qui lui a fait souvent des compliments sur ses progrès, ricane cyniquement et lui répond :

– Il y a de quoi faire rire les cinq continents!

Encore un affreux mufle, et une bécassine.

Enfin, la dernière fille, la petite Marie, un ange de pureté, acceptera d'épouser l'ignoble Tessier. Ce n'est pas pour sauver la vie des siens, car il leur reste de quoi vivoter, et il leur serait possible de travailler : c'est pour sauver les rentes et le confort bourgeois. Je ne puis m'empêcher de penser qu'elle en aura sa part, et qu'un sacrifice de ce genre n'en fait pas une Antigone.

A cette galerie de personnages, il faut ajouter ceux que l'on ne voit pas, et qui ne sont même pas nommés dans la pièce. Ils existent pourtant, car enfin cette intrigue ne se déroule pas dans un désert! Ce notaire a évidemment des clercs, il y a dans les bureaux de l'usine des comptables, des ingénieurs, un conseil juridique; Vigneron avait certainement des amis, ou tout au moins des relations; Mme Vigneron donnait sans doute quelques réceptions. Enfin, du côté du père comme du côté de la mère, il me paraît probable qu'il existe des frères, ou des sœurs, ou des cousins, ou des oncles... N'importe lequel de ces gens-là eût pu dire à la veuve : « Madame, ne vous laissez pas intimider par ces aigrefins. Ne leur signez aucun papier, et prenez mon bras : Nous irons de ce pas consulter Maître Un Tel, qui vous dira la vérité sur votre affaire. Je ne la crois pas si mauvaise qu'on vous le dit. » Mais non, personne n'a parlé, ni n'a fait un geste : ils ont laissé sombrer la veuve et les trois orphelines, parce qu'ils sont tous, sans exception, des gens sans cœur et sans entrailles.

Tel est le monde que me présente Monsieur Becque, et dans lequel il me propose de jouer un rôle, celui du spectateur qui prend part à l'action. Je veux bien essayer, mais je n'y réussis pas. Les mauvais instincts que je suis venu « purger » au théâtre s'intéressent aux fureurs d'Othello, et j'étouffe avec lui Desdémone pendant que je souffre avec elle; mais je ne puis m'associer, ne fût-ce qu'une seconde, aux bassesses, aux tricheries, aux fripouilleries de Tessier, de Bourdon, ou de l'immonde petit fiancé. Ces gens-là sont des médiocres, des âmes sordides : Becque nous a prévenus, ce ne sont pas de grands fauves, ce sont des corbeaux; le seul sentiment qu'ils m'inspirent est un profond mépris, et pendant la représentation, j'espérais l'entrée en scène d'un honnête homme, qui sans dire un mot, et sans même sortir ses mains de ses poches, eût dispersé cette racaille à coups de pied au derrière...

Quant à la pitié due aux victimes, je n'arrive pas à la ressentir profondément. Quel est en effet le malheur qui les menace? Il va leur falloir réduire leur train de vie, et peut-être TRAVAILLER : ce n'est tout de même pas le comble de l'horreur, et je garde mes larmes pour la Dame aux camélias.

Non, vraiment, *Les Corbeaux* ne peuvent rien pour notre « catharsis », et c'est ce qui explique leur insuccès devant le grand public.

J'ai entendu un jour – vers 1926 – un jeune metteur en scène d'avant-garde exposer sa conception de la pièce. Il disait que pour mettre en valeur l'étrange beauté de l'ouvrage, il fallait aller jusqu'au bout des intentions de l'auteur. Becque avait voulu qu'à partir du début du second acte, ces quatre femmes fussent en grand deuil. Pourquoi ne pas les affliger de quelques infirmités qui extérioriseraient leur faiblesse? La mère dans un fauteuil roulant, poussé par un domestique boiteux; la pianiste pourrait avoir un bec-de-lièvre; Blanche, largement enceinte de deux jumeaux, serait bègue, et la petite Marie, en pleine floraison d'acné juvénile. De même, il voyait Tessier en borgne alcoolique, et le notaire en manchot goitreux... Il prétendait qu'il présenterait ainsi l'ouvrage dans sa véritable atmosphère, celle d'une farce grinçante et funèbre, qui pourrait enfin nous faire rire, alors que malgré la rigueur de l'intrigue et la cruelle beauté des dialogues, *Les Corbeaux* n'ont jamais fait pleurer personne.

Cette conception sacrilège fut accueillie par des ricanements et des huées, car Henry Becque était notre Dieu : je sais aujourd'hui qu'il fut notre Diable; supérieurement intelligent, artiste, spirituel, puissant, séduisant comme tous les Diables...

Nous avions essayé de l'imiter; comme il est d'usage, nous n'avions réussi que l'imitation de ses défauts, ce qui nous a valu la louange de la critique, mais l'indifférence du grand public.

Il y a trois ou quatre ans, me promenant avec Nivoix, je lui fis part de ces réflexions, et nous décidâmes de refondre ces *Marchands de Gloire*, pour en resserrer l'intrigue, en voiler l'amertume, et humaniser nos personnages.

Puis la vie de Paris et d'autres travaux retardèrent l'exécution de ce projet. Nous pensions que nous avions encore du temps devant nous. Mais Paul Nivoix est mort, subitement frappé au cœur dans une gare, alors qu'il paraissait en pleine santé...

2

JAZZ

1926

Voilà une pièce un peu trop littéraire. Je dirais même trop scolaire : pourtant, le point de départ de cette histoire me fut fourni, à deux reprises, par la vie elle-même.

Nous avions au lycée un répétiteur fort sympathique, qui s'appelait M. Leprat : il préparait un doctorat d'histoire ancienne avec une véritable passion, et tout naturellement, il était membre de la Société d'Archéologie.

Cette compagnie était composée de plusieurs professeurs, et d'un bon nombre de savants amateurs, dont quelques-uns étaient de généreux mécènes. Tous ces gens, merveilleusement désintéressés, consacraient leur temps, leur argent et leur peine à reconstituer le glorieux passé de l'antique Phocée. Ils défonçaient des caves, déterraient des amphores, rédigeaient des « mémoires » sur les murs grecs du Lacydon, et flairaient de bien loin les anciens cimetières.

De temps à autre, ils exposaient leurs découvertes dans des conférences, et envoyaient aux Académies d'intéressantes communications. Mais il leur arrivait aussi de se tromper, car leur enthousiasme ne respectait pas toujours la rigoureuse minutie de la méthode historique : Leprat, patient et débonnaire dans ses rapports avec nous, était d'une intransigeance farouche dès qu'il s'agissait d'identifier l'anneau de Gyptis ou le crâne de Teutobochus, et il devenait facilement sarcastique. Après quelques discussions un peu vives, il finit par donner sa démission, et quitta la compagnie.

Quelques mois plus tard, la société annonça la plus importante découverte qu'elle eût jamais mise au jour : une tour romaine, ensevelie depuis des siècles sous les vieux quartiers.

Expertises, mémoires, conférences, communications aux savants de Paris. Les amateurs exultaient, le président se rengorgeait, la presse chantait des louanges. Pour compléter leur triomphe, ces messieurs – sans méchanceté, mais non sans malice – invitèrent Leprat à une visite officielle de la tour.

Il vint, ses lorgnons de travers, et il écouta longuement les explications que le président donnait à des personnages importants, délégués par la préfecture et par la mairie. Puis il examina le sol, tâta les murailles, et de la pointe d'un canif, il gratta le ciment des joints : en moins de dix minutes, son expertise fut faite, et il déclara tout net que cette tour n'était nullement romaine; qu'à son avis, elle datait du XVIe ou du XVIIe siècle, et qu'il s'agissait probablement d'un moulin à vent.

Il y eut un tollé général, et les personnages officiels regardèrent sévèrement cet insolent déprédateur, qui prétendait arracher ce fleuron de la couronne de Marseille. Le président demanda le silence, pour administrer à Leprat six preuves décisives : il répondit aux trois premières par des haussements d'épaules, aux trois dernières en levant les yeux au ciel; puis il salua la compagnie, et se retira.

Ce fut un petit scandale : une polémique fut lancée dans les journaux, pour la plus grande joie des lecteurs. Leprat fut appelé « pion bilieux » et « cuistre vindicatif », ce qui ne lui fit ni chaud ni froid, mais le président ayant dit à un journaliste qu'« un Leprat de l'avenir affirmerait peut-être un jour que les ruines de la tour Eiffel étaient celles d'un moulin à vent », Leprat fut piqué jusqu'au vif : il répondit que, malgré son respect pour le zèle et la générosité de ces messieurs, il ne croyait guère à leur science, et que les plus savants d'entre eux étaient certainement capables de prendre un « pissadou » d'Aubagne pour le casque de Périclès.

La société ne jugea pas utile de répliquer dans le même ton, mais le Comité décida de frapper un grand coup : il fit appel à un spécialiste célèbre, membre de l'Institut, et dont l'autorité en la matière était aussi incontestable qu'incontestée.

Ce savant répondit à l'invitation, et il vint en personne examiner la tour. Sa conclusion fut formelle : la tour était indubitablement romaine.

La société tout entière fut transportée d'allégresse; mais le Comité jugea bon de garder secrète l'opinion du grand homme, qui proclamerait lui-même la romanité de la tour au cours d'un banquet solennellement archéologique.

Tout natuellement, Leprat y fut invité. Il ne répondit pas au luxueux carton, ce qui parut également naturel, et son silence fut, pour tous, l'aveu de sa capitulation.

Le banquet eut lieu dans la tour même, magnifiquement décorée : le sol en avait été recouvert de tapis, et la lumière était fournie par des torches murales que l'accessoiriste de l'Opéra était venu installer lui-même. Autour de deux longues tables se pressaient une foule de savants amateurs, de femmes élégantes (en pleine maturité) et trois ou quatre journalistes.

Comme le président signalait en souriant l'abstention du malheureux Leprat, il entra. Il portait un complet sombre, et une cravate noire, comme il convient à un archéologue vaincu. Il était certainement passé chez un coiffeur, et c'est d'une main gantée de gris qu'il ôta son chapeau melon. Il ne paraissait ni triste ni gai, mais modestement impénétrable.

Le secrétaire de la compagnie, qui avait méchamment espéré sa présence jusqu'au dernier moment, s'élança à sa rencontre et le conduisit à la place qu'il lui avait réservée, au bas bout de la table d'honneur, avec des démonstrations de respect qui obtinrent un grand succès de rire. Mais avant de s'asseoir, Leprat fit son compliment au maître venu de Paris, dont il connaissait tous les ouvrages, puis il demanda au président l'autorisation de prendre la parole le dernier, à la fin du repas, « pour faire, dit-il, son *mea-culpa* ».

Cette demande fut agréée, aux applaudissements de quelques-uns, tandis que d'autres ricanaient assez peu chrétiennement.

Le banquet fut succulent, et tous purent constater que Leprat, malgré sa défaite, mangeait de grand appétit... Les conversations allaient bon train et ne s'arrêtèrent qu'au moment où le secrétaire se leva, prit une noble bouteille des mains du sommelier, et déclara : « Mesdames, messieurs, j'espère que vous me permettez d'offrir à M. Leprat, qui est un connaisseur, le premier verre de ce bourgogne, bien connu sous l'appellation de moulin-à-vent! »

Ce trait d'esprit satirique fut joyeusement applaudi, et Leprat lui-même fit un éclat de rire si brusque et si violent que le secrétaire dut lui taper dans le dos pour lui rendre le souffle.

Après le turbot, la poularde, le fromage et les glaces, le président se leva, et remercia en termes émus l'illustre savant, qui avait si généreusement accepté l'invitation de la modeste Société d'Archéologie.

Alors, le maître se leva, et prit la parole. Il révéla d'abord que, par un don naturel, d'ailleurs inexplicable, il possédait un flair d'archéologue qui ne l'avait jamais trompé, et cita quelques-unes des réussites qui avaient fait sa réputation. Ce flair fut grandement applaudi.

Puis il ajouta modestement que la méthode historique ne saurait se contenter des affirmations d'un don naturel, et qu'il était nécessaire de les confirmer par d'irréfutables raisons, et qu'il lui était bien facile de prouver que cette vénérable tour était indubitablement romaine.

Romaine, la stratégie qui en avait choisi le lieu; romaines, ces dimensions; romaines, ces meurtrières; romaines, ces pierres; romain, ce ciment; romain, ce linteau incurvé au-dessus d'une porte de chêne, qui n'avait pu cesser d'être romaine qu'en devenant poussière au cours des siècles. Et chaque fois qu'il prononçait le mot magique, il pointait son index vers l'infortuné Leprat, qui baissait les yeux humblement. Il conclut enfin :

— Seul un aveugle pourrait s'y tromper, car cette tour est si parfaitement, si minutieusement romaine, qu'au cours d'une longue carrière je n'ai jamais rien vu d'aussi romain.

Echauffé par les applaudissements, et sans doute aussi par le moulin-à-vent, il évoqua ensuite le tragique et glorieux passé du monument, et il y eut un grand silence lorsqu'il révéla que la tour avait (probablement) servi de prison aux derniers survivants des Cimbres et des Teutons dont Marius avait massacré les hordes barbares dans la plaine de Campourières, et il exprima l'espoir que des fouilles permettraient de découvrir, là, sous cette table, et sous les pieds mêmes de ces dames, les crânes, les omoplates et les tibias de ces prisonniers étranglés... Puis il décrivit le siège de Marseille par les légions de César.

Alors, les pierres des balistes ébranlèrent l'épaisse muraille : on entendit siffler les flèches, et gémir d'héroïques blessés : les hommes se préparaient à mourir aux créneaux, les dames espéraient le pire...

L'épopée se termina par un chaleureux éloge de la Société d'Archéologie, qui rougissait d'orgueil et de plaisir sur les trente visages de ses membres, et il ajouta :

— Surtout, messieurs, ne pensez pas que vous ayez terminé votre tâche : examinez de très près chaque pierre, chaque fente de ces antiques murailles, et fouillez le sol jusqu'aux fondations : du haut de ma vieille expérience, je vous affirme que vous n'êtes pas au bout de vos surprises!

Après de longs applaudissements, chacun leva sa coupe et but le champagne du triomphe à la gloire du vieux savant et à la mémoire de Jules César.

Alors Leprat se leva; les yeux baissés vers la nappe, il parla lentement, et presque à voix basse.

— Mesdames et messieurs, dit-il, je tiens à couronner cette belle soirée par un très sincère *mea-culpa*. Tout d'abord, je m'accuse de m'être parfois laissé emporter par mes convictions : au cours de la petite polémique qui m'opposa à votre société, il m'est arrivé d'employer des expressions presque injurieuses, et qui n'avaient pas leur place dans une discussion d'archéologues : je vous demande de bien vouloir oublier ces écarts de langage, et d'agréer tous mes regrets.

La modestie de sa contenance et l'humilité de cette déclaration parurent toucher le cœur des triomphateurs, et le savant de Paris, avec une généreuse bonhomie, dit en souriant :

– Cher Leprat, tout le monde peut se tromper.

– Eh oui, murmura Leprat, tout le monde... Et maintenant, j'en arrive à mon ERREUR. Oui, j'ai eu la sottise de prétendre un jour que cette tour n'était rien d'autre qu'un ancien moulin à vent. Erreur absurde, erreur grossière, car il s'agit vraiment d'un ouvrage militaire, qui a certainement défendu notre ville contre divers assauts. Encore une fois, *mea-culpa*.

Le président, ému, se pencha vers son voisin, et chuchota :

– Il faut lui rendre sa place parmi nous.

Il allait se lever, lorsque Leprat reprit :

– Et maintenant, pour me faire pardonner mes mouvements d'humeur, et mon erreur, je vous ai apporté ce soir un document remarquable, et qui me paraît digne de prendre place dans les archives de la société.

Il tira de sa poche quatre feuilles d'un papier assez épais, pliées en deux dans le sens de la longueur.

– Il s'agit, dit-il, de reproductions photographiques (certifiées conformes par Monsieur l'Archiviste en chef du département) d'un mémoire en quatre pages, signé du sieur Costamagna, qui, comme son nom l'indique, était probablement d'origine romaine. Il exerçait à Marseille la profession d'entrepreneur. Ce mémoire, minutieusement détaillé, concerne précisément cette tour, que le sieur Costamagna, sur l'ordre de Monsieur le Lieutenant général du Roy, a construite, au prix de onze mille livres, treize sols et six deniers en l'an 1692.

Un énorme silence accabla la compagnie, et tous

regardèrent l'illustre savant, dont le volume diminuait à vue d'œil. Leprat alla s'incliner devant lui.

– Maître, dit-il, je me permets de constater que vous avez sagement parlé tout à l'heure lorsque vous avez dit : « Tout le monde peut se tromper », et : « Vous n'êtes pas au bout de vos surprises. » C'étaient deux grandes vérités : je vous en laisse une troisième.

Il déposa sur la table le cruel mémoire, et sortit dans un grand silence, sur la pointe des pieds.

Voici maintenant une autre histoire, qui me fut racontée au lycée. Elle était déjà ancienne et je crois qu'elle avait dû s'enrichir de bouche en bouche, mais le fond en était vrai.

Vers 1905, il y avait, dans une Faculté des lettres, un professeur d'histoire d'un grand mérite, mais fort sévère dans les jurys des examens. C'est pourquoi plusieurs de ses élèves, qu'il avait forcés à refaire une année de licence (fort injustement, du moins à leur avis), décidèrent de se venger.

L'historien avait une marotte. Il affirmait que les Phéniciens, bien avant les Phocéens, étaient venus s'établir devant Marseille, dans les petites îles qui marquent l'entrée de la rade.

Sa thèse était combattue par d'autres savants d'un mérite égal, et c'était là sa grande affaire.

Les conjurés commencèrent par subtiliser, au musée du Parc Borély, quelques débris de poteries véritablement phéniciennes. Ils achetèrent ensuite chez un brocanteur un immense pot de chambre du temps jadis, en grattèrent l'émail à la lime, et gravèrent sur ses flancs (grâce à la fraise à pédale d'un étudiant de l'Ecole dentaire) un dessin fort simple, mais d'une obscénité superbement orientale. Il était entouré d'une inscription gravée en caractères mystérieux, mais dont le secret eût été aisément percé par toute personne capable de lire la sténographie Duployé et de comprendre la langue provençale. Puis il modelèrent eux-mêmes des tuiles du temple de Baal, et une sorte de jarre d'un pied de haut, que l'apprenti dentiste décora d'une petite danseuse nue à demi effacée : deux parcelles d'anthracite, incrustées dans l'argile, lui firent de grands yeux noirs... Un serviable briquetier d'Aubagne voulut bien durcir dans ses fours ces ouvrages, dont l'épaisseur l'étonna : enfin, sur leur demande, il leur fit cadeau d'une douzaine de pots à fraises ratés, à cause de « coups de feu », de fractures, ou de distorsions spontanées.

Ils prirent grand plaisir à ces travaux, pour lesquels ils utilisaient cruellement la science qu'ils devaient à leur maître, et ils fignolèrent longuement des objets qui étaient exactement semblables à ceux dont il avait prédit et souhaité la découverte... Ces pièces, convenablement râpées et brunies, furent un beau dimanche enfouies sur le rivage de l'île Maïre, au fond d'un petit ravin qui débouchait en crique sur la mer phénicienne.

Quelques jours plus tard, l'un des faussaires apporta à la Faculté un morceau de poterie assez modeste, mais qui venait en droite ligne des collections du musée : il déclara qu'il l'avait trouvé dans le sable de la crique, en piochant au bord du flot dans l'espoir de déterrer des « mouredus », qui sont de gros vers marins, et le meilleur appât pour la pêche à la daurade.

Le savant archéologue fut très vivement intéressé par ce fragment : mais comme la méthode historique exige des contrôles rigoureux, il commença par soumettre la trouvaille à Monsieur le Conservateur du Musée.

Celui-ci était le gardien fidèle de plusieurs momies,

entourées de cruches cassées, d'anses de marmites, de plats ébréchés, et de trois mille tessons d'ustensiles divers, qui avaient une véritable valeur historique. Il n'en savait évidemment pas le nombre, et ne reconnut pas son bien : mais il vit au premier coup d'œil l'authenticité du débris.

Il le soupesa, le flaira, le caressa, et déclara que cette relique était digne de figurer dans ses collections, en quoi il ne se trompait pas.

Le professeur exulta, et commença la préparation d'un mémoire sur une découverte qui confirmait ses théories; mais ses élèves lui laissèrent entendre que cette preuve leur paraissait bien petite, et qu'une thèse aussi importante ne pouvait être définitivement assise sur le tranchant d'un seul tesson : il fallait confirmer et fortifier cette preuve par des fouilles, et ne pas se contenter de la trouvaille inattendue d'un chercheur de « mouredus ».

Le savant convaincu fut donc transporté à l'île Maïre dans une barque encombrée de pelles, de pioches, et de sacs tyroliens, et c'est ainsi qu'il eut la joie de découvrir lui-même le « pissadou » du brocanteur, dont les inscriptions mystérieuses lui promettaient bien du plaisir : il déclara qu'il s'agissait d'un vase sacré qui avait contenu l'eau lustrale avec laquelle les prêtres purifiaient les époux lors des mariages phéniciens. Pour la jarre à la danseuse, il fut formel : c'était sans aucun doute l'urne funéraire d'une vierge phénicienne; quant aux pots de fraises, il se montra perplexe : il déclara que ces petits récipients aux formes fantaisistes avaient sans doute contenu des onguents dont les astucieux navigateurs venus d'Orient avaient dû enseigner l'usage aux coquettes massaliotes – mais qu'il ne pourrait se prononcer aussi vite sur un problème de cette importance.

Il travailla plusieurs mois, en grand secret, et

publia un beau matin un long mémoire, qui fit grand bruit dans le monde savant : les pièces furent photographiées, dessinées, reproduites dans les revues internationales, et quoique de nouvelles fouilles, entreprises sur le rivage de l'île, n'eussent révélé qu'une mine de « mouredus », la gloire du professeur prit un tel éclat que les farceurs, honteux d'une si grande réussite, jurèrent de ne jamais révéler leur supercherie.

Par malheur, le succès n'avait pas assoupli la sévérité du professeur : tout au contraire, il était devenu plus intransigeant que jamais et l'auteur de la première trouvaille se vit, une fois de plus, refuser son diplôme de licence. Saisi d'une brûlante rage, il raconta toute l'histoire à un ami, qui débutait dans le journalisme, et lui donna des preuves irréfutables pour étayer son article.

Ce jeune homme, qui avait de l'ambition, fut bien aise qu'on lui offrît la chance d'allumer un si beau pétard : fort habilement, il commença par de simples affirmations, en racontant l'affaire sur le mode badin. Il eut aussitôt la joie de soulever les protestations indignées de quelques savants, et d'être appelé diffamateur, raté, polichinelle et maître chanteur, ce qui est, pour un journaliste, un éblouissant début de carrière.

Il joua alors ses atouts, et révéla que si l'on se résignait à briser quelques-unes des tuiles du temple de Baal on pourrait récupérer – enrobés dans l'argile millénaire – une bonne douzaine de jetons de téléphone; et d'autre part, l'urne funéraire de la jeune fille phénicienne contenait, dans l'épaisseur de ses flancs, quelques petites rondelles bombées de cuivre doré, sur lesquelles une inscription non phénicienne affirmait l'existence du High Life Tailor.

C'est ainsi que le malheureux savant, dupé par sa

propre science, demanda sa mise à la retraite, et s'en alla mourir d'amertume à la campagne.

C'est ce cas qui me donna l'idée de mettre en scène un véritable érudit, qui a consacré les meilleures années de sa vie à une œuvre qu'il croyait importante, puis qui découvre trop tard la vanité de ses travaux, l'inutilité de son sacrifice, et qui essaie en vain de vivre sa jeunesse, quand il n'est plus temps.

Cette pièce fut montée, en 1926, par Rodolphe Darzens, qui dirigeait le Théâtre des Batignolles, devenu Théâtre des Arts, puis, beaucoup plus tard, Théâtre Hébertot.

Lorsque je rencontrai Rodolphe, au début de 1926, il approchait de la soixantaine, et son épaisse chevelure blanchissante rejoignait sur ses oreilles une barbe taillée en pointe une fois pour toutes.

Il était très grand, les épaules larges, la poitrine profonde : il n'exagérait certainement pas quand il affirmait que dans sa jeunesse il avait été un redoutable lutteur.

Tout ce que je vais dire ici de cet homme étonnant m'a été raconté par lui-même; mais comme il avait une imagination prodigieuse, et qu'il mentait souvent en toute bonne foi, je ne puis garantir l'exactitude rigoureuse de ces récits.

Il était né à Moscou, d'un père français qui occupait une situation importante auprès d'un prince russe.

Elevé par un précepteur français, il avait appris notre langue dès l'enfance, et il avait commencé de bonne heure à écrire des vers. Tout justement parce qu'il était poète, dès l'âge de dix-huit ans, il tomba follement amoureux d'une ravissante gitane qui dansait au son d'un tambourin et disait la bonne aventure; il abandonna sa riche famille, elle quitta sa tribu; Rodolphe mobilisa ses économies, vendit son chronomètre, sa bague chevalière et son épingle de cravate pour acheter une ourse géante à la veuve d'un dompteur : ils partirent tous les trois, dans une roulotte, au hasard des routes.

Cette ourse, d'une force prodigieuse, était d'un caractère facile et débonnaire. Elle avait appris à lutter contre son dompteur qu'elle étreignait d'abord délicatement, mais en poussant des grognements terrifiants. Peu à peu, elle s'échauffait au jeu, on voyait bien qu'elle se disposait à lancer au loin son partenaire; mais cette géante craignait les chatouilles. Alors, le dompteur lui grattait l'aisselle, et le monstre se couchait en poussant de petits gémissements, qui étaient sa façon de rire.

Sur la place du village, la gitane roulait du tambour, puis elle dansait en faisant tinter ses bracelets de grelots. Ensuite, devant les badauds accourus, Darzens, en caleçon de cuir, luttait avec l'ourse, en grognant aussi fort qu'elle. Quand il l'avait terrassée, il annonçait au public qu'étant gentilhomme de la cour du tsar (que Dieu le bénisse), il ne pouvait accepter aucune aumône, mais qu'il lui était permis de prendre des paris, le jeu étant considéré comme la principale occupation de la véritable noblesse. Il pariait donc dix roubles qu'aucun homme au monde n'était capable de vaincre cette ourse comme il venait de le faire. Sur quoi il déposait les pièces d'argent dans son chapeau, qu'il confiait à la plus vieille baba de l'honorable société, tandis que la gitane recommençait des roulements de tambour qui grondaient comme un défi.

Dans tous les bourgs, dans tous les villages, et surtout en Russie, il y a toujours un « homme fort », orgueil et terreur du pays. Quand il n'était pas dans le cercle des badauds on allait le chercher. C'était un gendarme gigantesque, ou un forgeron velu, mais le plus souvent un épouvantable moujik. Toute l'assistance se cotisait pour déposer l'enjeu dans le chapeau : puis l'ourse, après avoir supporté patiemment plusieurs assauts, lançait l'homme fort d'un coup de patte au milieu des badauds qui tombaient comme des quilles et ne se relevaient que pour fuir.

Cette épopée dura plusieurs mois, et Rodolphe, qui écrivait chaque soir un poème avant de caresser sa gitane, ne souhaitait rien d'autre que le lendemain.

Par malheur, ils passèrent un jour trop près d'une tribu de tziganes; on les invita à dîner : Rodolphe se réveilla deux jours plus tard. L'ourse était toujours là, grandement affamée, mais la gitane avait disparu. Elle avait écrit sur le tambour : « Ton avenir est glorieux. Ne me cherche pas. »

Il en eut le cœur brisé, et décida d'aller à Paris. Une lettre d'appel à son père n'eut d'autre réponse que cinq lignes de malédictions durables.

Il en accusa la réception par l'envoi d'un poème, et partit pour la Ville-Lumière.

L'affection de l'ourse, exaltée par l'absence de la gitane, lui fut une grande consolation, en même temps qu'une source d'inquiétude, car cette immense vierge velue le poursuivait de ses assiduités : elle l'étreignait à tout propos, et surtout le soir. Il me confia que, sans la chatouille libératrice, il se demandait encore ce qu'il lui serait arrivé. Mais je crois qu'il avait lu Lokis, et que cette heure troublante débordait sur ses souvenirs.

Il traversa ainsi, disait-il, la moitié de la Russie blanche, et toute l'Allemagne, en gagnant assez bien sa vie par ses paris quotidiens, et finit par arriver dans la capitale des Lettres et des Arts.

Après quelques banlieues, qui ne furent point fructueuses, parce que les gens de l'Ile-de-France sont assez peu portés à étreindre des plantigrades d'une espèce différente, il vint tenter sa chance dans la grande ville, et livra son premier combat sur la place de l'Ambigu. Une foule respectueuse applaudit son triomphe; et, comme d'habitude, il se trouva dans ses rangs un benêt de province qui avait lutté dans les foires et qui releva le défi.

Ses côtes étaient si épaisses que la foule les entendit craquer, tandis que de ses lèvres bleues jaillissait une langue de pendu. A travers le cercle de badauds (spontanément élargi) deux agents de police s'élancèrent au moment même où Darzens plaçait sous l'aisselle de l'ourse une très urgente chatouille.

On transporta le benêt à l'hôpital, et la roulotte fut conduite au jardin zoologique pour y déposer l'ourse désolée, pendant que Rodolphe fournissait des explications et récitait des poèmes devant un commissaire de police charmé.

Ce magistrat, merveilleusement amical, dut cependant l'avertir qu'il ne pouvait continuer son admirable métier de belluaire : Rodolphe vendit l'ourse au jardin zoologique et la roulotte à un forain.

Lorsqu'il eut payé la réparation des côtes de sa dernière victime, il constata qu'il lui restait assez d'argent pour vivre deux ou trois mois, et il se mit à fréquenter les cafés littéraires. A cause de sa haute taille, de sa belle voix, et de son charme slave, il s'y fit très vite des amis, et eut l'honneur de fréquenter le grand Verlaine. Il eut l'audace, une nuit, de réciter son poème favori devant le Maître. Ce grand poète lui témoigna son amitié en composant sur-le-champ (je veux dire sur la table de marbre) un très beau sonnet qui a pris place dans son œuvre, et dont je parlerai plus loin.

Rodolphe était lancé : un directeur de journal l'engagea aussitôt; mais comme les quotidiens ne s'occupent guère de poésie, il confia à ce jeune poète la seule rubrique qui s'accommode, tant bien que mal, d'un certain lyrisme, la rubrique de la boxe, que Darzens devait conserver jusqu'à sa mort. C'est ainsi qu'il chanta la gloire de Sam Langford, de Joe Jeannette, du miraculeux Georges Carpentier, et qu'il devint, à l'occasion, le manager de Michel Simon : ce grand comédien, avant d'être une gloire de la scène française, fit en effet une courte carrière de boxeur puissant, mais distrait...

En cours de route, Darzens devint, je ne sais comment, le collaborateur et l'ami d'André Antoine, à qui le théâtre du monde entier doit une reconnaissance éternelle : le Théâtre-Libre joua, en 1889, *L'Amante du Christ*, pièce en vers de Rodolphe Darzens. Cet ouvrage fut assez bien accueilli, et on y rencontrait des vers charmants, mais il était à la mode de l'époque : il aurait pu être signé Catulle Mendès, c'est pourquoi il n'a pas fait grand bruit dans le monde.

C'est quelques années plus tard qu'un grand bonheur vint le surprendre, et par des voies si compliquées qu'on ne peut y voir rien d'autre qu'un itinéraire de la Providence.

Rodolphe avait un frère cadet qui était venu faire ses études à Paris. Etudes exceptionnellement brillantes puisqu'elles le conduisirent à la chaire de chimie de l'Ecole polytechnique; de plus, il dirigeait les laboratoires du célèbre parfumeur Pivert.

Ce parfumeur avait un gendre, Rouché, qui avait le goût de la musique, et qui rêvait d'obtenir la direction de l'Opéra : comme il ne manquait pas d'argent, il offrait même de prendre à sa charge le déficit annuel. Le ministre fut touché par cette générosité passionnée, mais il fut forcé de répondre qu'il ne pouvait pas confier les destinées du Théâtre National à un parfumeur qui n'avait jamais dirigé une scène.

– Qu'à cela ne tienne! dit Rouché. Je reviendrai vous voir dans deux ans.

Il acheta aussitôt le Théâtre des Arts, supprima trois rangs de fauteuils pour agrandir la scène, et y donna des spectacles d'opéra et de ballets qui étaient les plus beaux de Paris.

Deux ans plus tard, il était nommé directeur de l'Opéra où il a laissé le souvenir d'un homme juste, affable, généreux, et d'un très grand directeur.

Pendant qu'il s'occupait du Théâtre des Arts, son chimiste, l'autre Darzens, avait mis au point une invention qu'il jugeait modeste, mais dont l'importance commerciale se révéla considérable. C'était un parfum nouveau, qui portait le joli nom de Trèfle Incarnat.

Ce fut un immense succès, et le parfumeur offrit à son chimiste le choix d'une récompense.

Le savant lui demanda :

– Qu'allez-vous faire du bail du Théâtre des Arts?

– Sans doute le vendre.

– Eh bien, je vous demande de le vendre à mon frère, en lui accordant quelques facilités de paiement.

– D'accord, dit Rouché. Mais les facilités de paiement, cela fait toujours des complications. Il y a des échéances, des traites, des rapports, des intérêts de retard... Pour m'épargner ces petits ennuis, permettez-moi de le lui donner.

C'est ainsi que Rodolphe, poète, rédacteur sportif et manager de boxe, devint directeur de théâtre.

Il eut assez vite une réputation déplorable : on le disait avare, et par conséquent millionnaire; on lui reprochait son vieux pardessus, son cache-nez de clochard, et son feutre qu'un teinturier eût rajeuni de vingt ans en dix minutes. On disait – et c'était vrai –

qu'il baptisait « élèves » les jeunes comédiens, pour ne les payer qu'à demi-tarif.

En réalité, il ne possédait pas grand-chose, si ce n'est une ferme à Rennemoulins, et son théâtre.

Dans cette ferme, il élevait des dogues de Bordeaux : c'étaient des bouledogues aussi grands que des danois, qu'il aimait comme ses enfants, sans doute en souvenir de l'ourse.

Son théâtre, c'était, disait-il, sa « bague au doigt ». En fait, c'était son carcan, qu'il a porté courageusement toute sa vie : s'il resta jusqu'au bout rédacteur sportif au journal, ce fut pour payer les colonnes Morris et la façade lumineuse, en face du sinistre collège Chaptal.

Son seul chagrin, c'était l'existence de ce collège, de l'autre côté du boulevard.

Aux visiteurs du soir, il montrait cette longue façade noire, que prolongeait l'ouverture de la rue de Rome, puis le grand pont qui couvre les voies de la gare Saint-Lazare.

– Regardez! Sur cinq cents mètres, pas une boutique, pas une fenêtre éclairée... On pourrait construire là quarante immeubles de six étages, à quatre appartements par étage, et trois ou quatre personnes par appartement; trois mille spectateurs possibles! Ils n'auraient qu'à traverser le boulevard! Et puis, les boutiques illuminées, c'est de la vie, c'est du mouvement! Mon bureau de location s'ouvre sur un désert! A partir de six heures du soir, c'est l'endroit idéal pour l'agression à main armée! Et ces malheureux élèves, pâles, maigres, asphyxiés par la fumée de mille locomotives quotidiennes, ça va nous faire une belle génération de tuberculeux... Et puis, finalement, ce Chaptal, qu'est-ce qu'il a fait d'extraordinaire? Et c'est pourtant cet individu qui me coûte au moins cent fauteuils par jour, et qui me force à me prostituer!

En effet, dans les moments difficiles, Darzens découvrait de nouvelles comédiennes dont les débuts étaient suivis avec une attention généreuse par la Haute Banque ou la Grande Industrie, et il révélait aussi, dans une indifférence générale, de jeunes auteurs dont le talent s'appuyait fermement sur d'épaisses fortunes familiales. Il les rançonnait sans pitié : mais dès que la caisse était pleine, il montait les pièces qui lui plaisaient, et perdait pour l'honneur de l'art dramatique l'argent gagné dans la prostitution.

Je lui garde une très profonde et très sincère reconnaissance; j'aime à me rappeler que je lui dois beaucoup. Le récit de sa vie est sans doute un peu romancé, mais c'est celui qu'il avait choisi, c'est ce personnage qu'il voulait être; je crois de tout mon cœur qu'il l'a été, et pour honorer sa mémoire, je veux transcrire ici le sonnet par lequel le grand Verlaine, un soir, dans un café, immortalisa sa jeunesse :

A Rodolphe Darzens

Jeune homme élancé
Comme un peuplier
Qui donc a pensé
Qu'on pût t'oublier

Dans ce livre si
Vraiment amical?
Quel sot réussi,
Quel crétin fécal?

Jeune homme élancé
Vers la vie, et vers
L'art et les beaux vers,

Enfant annoncé
Par ta chanson, viens,
Entre, et sois des miens.

Août 1889

Il lut ma pièce, elle lui plut. Il décida de faire grandement les choses : il engagea immédiatement Harry Baur et Pierre Blanchar, qui étaient déjà célèbres depuis longtemps, et Orane Demazis, étoile du théâtre d'avant-garde, qui venait d'obtenir un très grand succès dans *L'Occasion* de Mérimée, sur la scène de Charles Dullin. Puis Jean d'Yd, admirable acteur de composition, et un tout jeune homme, Marc Valbel.

Tous contrats signés, il s'aperçut que sa trésorerie ne correspondait nullement aux engagements qu'il venait de prendre : il appela à son secours le directeur du Grand-Théâtre de Monte-Carlo.

La Principauté fut toujours un centre artistique d'une importance mondiale.

A cette époque, les ressources du célèbre Casino se comptaient par centaines de millions, c'est-à-dire en milliards d'aujourd'hui. Afin de distraire ses hôtes de passage, et de leur offrir une sorte de compensation de leurs pertes sur le tapis vert, la Société des Bains de Mer (qui entretenait beaucoup plus de croupiers que de maîtres nageurs) montait des spectacles ou des concerts qu'aucune recette n'aurait pu couvrir.

C'est là que l'on put voir, dans le même opéra, Caruso, Tita Ruffo, et Chaliapine.

En 1926, la guerre et les révolutions avaient grandement réduit la généreuse cohorte des grands-ducs russes, des princes allemands, des sultans, khédives et pachas.

Cependant, le budget des spectacles était encore

considérable, et leur directeur pouvait monter des chefs-d'œuvre oubliés, ou créer des pièces nouvelles, sans penser une seconde à leur « rentabilité », puisqu'il ne les jouait que deux fois, et que ce mot n'existait pas encore.

Ce directeur, c'était René Blum, le propre frère du grand chef socialiste.

Il ne faisait pas de politique : c'était un lettré, un artiste, et un homme de cœur merveilleusement désintéressé. Son courage se révéla sous l'Occupation. Comme il se préparait à rentrer à Paris, un ami lui dit :

— René, n'y va pas. Ils vont te faire porter l'étoile jaune.

— Je n'en serai ni fier ni honteux : je n'ai jamais caché que je m'appelle Blum.

— Et s'ils te tuent?

— Ce sera absurde, car Goethe et Wagner perdront un bon serviteur.

Il partit et ce fut absurde : il est mort en déportation. Nous avons perdu une précieuse lumière. Tous ceux qui l'ont connu lui doivent quelque chose; ils gardent à sa mémoire une particulière tendresse, et il m'arrive encore de tendre la main vers le téléphone pour lui demander conseil.

C'est grâce à lui que, le 6 décembre 1926, *Jazz* fut joué pour la première fois sur la scène du Grand-Théâtre de Monte-Carlo.

J'avais décidé de rester dans les coulisses : mais, avant le lever du rideau, René Blum me prit par le coude et m'entraîna vers les salles de jeu.

— Il ne faut pas vous énerver, dit-il. Nous entrons dans l'irréparable, et ni vous ni moi n'y pouvons rien. Demain vous viendrez écouter la pièce : nous vérifierons si les réactions du public de ce soir se confirment, et vous serez peut-être amené à faire des coupures ou à dégager certains effets. Tenez, voilà cinq jetons de cent francs que le Casino vous offre : si vous jouez prudemment, ça peut durer une demi-heure, ce qui nous mènera à la fin du premier acte : je viendrai alors vous dire les nouvelles, je suis sûr qu'elles seront bonnes!

Il me laissa dans l' « antre de la fortune », dont les dimensions, le luxe et le silence m'étonnèrent.

Les joueurs assis autour des tables vertes étaient étrangement disparates : il y avait des hommes d'affaires en smoking, des jeunes gens d'allure sportive; des femmes endiamantées, et visiblement maquillées par des visagistes. Mêlés à cette foule élégante, quelques individus médiocrement vêtus, la joue blême, le front plissé, qui regardaient tourner la bille avec une véritable angoisse, et un bon nombre de vieilles dames à boa de plumes, qui prenaient des notes sur de longs carnets.

J'admirai l'aisance et l'indifférence des croupiers de la roulette, qu'aucune fantaisie du hasard ne pouvait plus étonner, puis je découvris ceux du baccara : des virtuoses! Sur une sorte de pelle de boulanger ils ramassaient sans le moindre effort des jonchées de cartes, puis, impassibles, au bout d'un râteau d'acajou, ils poussaient des écroulements de plaques versicolores, qui représentaient dix ans d'enseignement au lycée Condorcet.

Mon étonnement dura près d'un quart d'heure, et j'essayai ensuite de partager les émotions des joueurs, dont les grimaces involontaires étaient contagieuses. Pourtant, je n'y réussis pas, et je me demandais avec angoisse si mes acteurs étaient en train de s'envoler sur des applaudissements, ou de s'effondrer sous des sifflets, ou encore de sombrer lentement dans un silence mortuaire.

Je m'approchai d'une table de roulette, et je m'efforçai de suivre le jeu. Après avoir constaté que la noire était sortie quatre fois de suite, je déposai deux jetons de cent francs sur la rouge, persuadé que l'injustice dont cette couleur venait d'être victime sous mes yeux allait être immédiatement réparée. Le croupier, un véritable prestidigitateur, ratissait les mises des perdants. Puis il lança la bille d'un geste si vif qu'elle parut fuir son index : elle roula longuement dans la ronde rainure d'acajou, et il dit en pensant à autre chose : « Rien ne va plus. » C'est à ce moment qu'un régisseur de théâtre me toucha l'épaule. Il souriait, et dit à mi-voix :

— Venez vite. Le premier acte est fini. Venez vite, c'est gagné !

Nous courûmes vers la sortie. Dans l'atrium, il ouvrit une porte qui donnait sur un couloir, et j'entendis aussitôt une grêle d'applaudissements.

— C'est au moins le quatrième appel! me dit-il.

Ce crépitement délicieux se calma, puis reprit soudain.

— Cinquième appel! chuchota mon guide. Pour une première, c'est rare!

Je fus transporté de joie par cette opinion d'un connaisseur.

Il n'y eut pas de sixième appel, mais un murmure : le public se levait pour l'entracte.

Au détour du couloir, un homme surgit, si large qu'il remplissait l'étroit passage. Ses cheveux étaient noirs et drus, ses yeux brillaient sous d'épais sourcils, et tout son visage souriait.

Je reculai dans l'atrium pour lui permettre de sortir : mais il vint à moi, posa sur mes épaules ses larges mains, et me regarda quelques secondes, en souriant toujours. Enfin il dit :

— Vous êtes un auteur dramatique : cela ne s'acquiert, ni ne se perd.

Je ne sus que lui répondre. Avec un sourire confus,

je baissai les yeux. Il me lâcha, et s'éloigna majestueux.

— Eh bien! dit le régisseur gravement, ça, c'est quelque chose.

Il hocha la tête plusieurs fois.

Je lui demandai :

— Qui est-ce?

— Comment? Vous ne le connaissez pas? Vous n'avez jamais vu ses photographies?

— Je ne crois pas. Qui est-ce?

Il ouvrit les bras, et dit avec respect : Blasco Ibañez!

Je fus profondément ému d'avoir été sacré auteur dramatique par l'illustre écrivain espagnol... Ma confusion s'accrut lorsque je vis s'avancer un flot de spectateurs en tenue de soirée, qui allumaient des cigarettes. Beaucoup me regardaient et me reconnaissaient à cause de la photographie du programme. Presque tous avaient des figures amicales. J'avais envie de prendre la fuite.

C'est alors qu'un chasseur surgit en courant :

— Monsieur, le croupier de la table 8 vous fait dire que la rouge est sortie cinq fois de suite, et que ça ne continuera pas comme ça!

Je m'élançai, il me suivit.

Comme nous arrivions près de la table où j'avais oublié ma mise, le croupier annonçait :

— Rien ne va plus!

— Ayayaïe! dit mon guide. Si la noire sort, vous avez tout perdu!

Je regardais, stupéfait, cette pyramide de jetons que je n'avais pas le droit de prendre... La bille tournait presque sans bruit, le croupier me regardait en souriant.

La bille roula longuement.

Le chasseur prognathe serrait nerveusement ses mâchoires, une petite boule de muscles tressaillait sous son oreille, et il avait rentré son cou dans ses épaules, pour attendre l'arrêt du destin. Pour moi, je n'avais pas le moindre doute : après ce que venait de me dire Blasco Ibañez, la fortune ne pouvait plus me trahir, j'avais eu six appels, donc la rouge sortirait six fois. Ce raisonnement absurde fut pourtant agréé par les dieux; la bille tressauta un instant sur les petites cloisons qui séparent les numéros, et soudain le croupier annonça :

– 16, rouge, pair et manque!

Il lança d'abord plusieurs plaques vers mon tas de jetons, puis il saisit son râteau ravisseur : mais au lieu de tirer, il poussa.

Le chasseur, détendu, m'aida à ramasser mon butin, et me conduisit vers une ravissante demoiselle qui trônait derrière une caisse. D'un sourire, elle traduisit en francs cette monnaie de casino, et tira l'épingle d'une liasse de billets de mille : elle en compta six, qu'elle compléta avec deux billets de cent francs... Un semestre de Condorcet!

Il y a des jours fastes, où tout réussit insolemment.

La carrière de cette pièce à Paris dépassa la centième, ce qui était assez rare à cette époque, et surtout au Théâtre des Arts. Je crois qu'elle aurait pu se prolonger fort aisément, mais Harry Baur, à qui Darzens n'avait pu donner de garanties suffisantes, fut forcé de nous quitter pour remplir un engagement au Théâtre des Mathurins : nos recettes tombèrent aussitôt, comme il arrive presque toujours en pareil cas, et la pièce fut arrêtée à la 110e représentation.

Cet ouvrage avait eu d'abord pour titre *Phaéton*. Darzens m'affirma que c'était un mauvais titre et qu'il fallait choisir un seul mot qui fût court et moderne; qu'au surplus, il n'était pas nécessaire que le titre d'une pièce eût le moindre rapport avec l'ouvrage : il ne sert qu'à attirer le public et doit suggérer une idée agréable.

Je refusai d'abord d'en changer : la jeunesse est intransigeante; je considérais que le choix d'un titre « raccrocheur » était une basse manœuvre commerciale; mais pendant les répétitions, les conseils de mes amis me troublèrent, et je finis par me laisser persuader.

La pièce, à cette époque, avait un cinquième acte : le professeur désabusé, renonçant à la science, se jetait dans une noce crapuleuse, et finissait par mourir, après une crise de folie, dans une boîte de nuit, au son d'un orchestre de jazz; nous étions alors à la grande époque du charleston, qui venait de remplacer le fox-trot, et cette trépidante musique nègre symbolisait le modernisme, la jeunesse, et le désordre.

A la grande joie de Darzens, la pièce s'intitula *Jazz*.

Trois ans plus tard, pendant que l'on jouait *Topaze* aux Variétés et *Marius* au Théâtre de Paris, Rodolphe, désorienté et surtout désargenté par une série de « fours », décida de remettre *Jazz* à l'affiche; il se fiait au vieux dicton : « Qui va deux va trois », et pensait que les spectateurs qui avaient fait le succès de mes deux ouvrages allaient se ruer au Théâtre des Arts; il appuyait cette certitude sur d'indiscutables calculs.

— Je me suis renseigné, me dit-il, auprès de Max Maurey et de Volterra. Jusqu'à aujourd'hui, tes deux pièces ont attiré 632 000 spectateurs : ne comptons que sur la moitié, parce que ce sont peut-être les mêmes qui sont allés voir les deux : donc disons 316 000. Mais ne nous faisons pas d'illusions. Depuis deux ans, certains sont morts; d'autres ont quitté Paris, d'autres sont malades, et (ne te fâche pas) il y en a peut-être quelques-uns qui n'ont pas aimé tes pièces. J'admets 10 000 morts, 10 000 absents, 5 000 malades, et 5 000 récalcitrants. Au total 30 000 qui ne viendront pas. Reste donc 286 000 spectateurs. Il nous en faut 500 par jour : c'est-à-dire que nous sommes assurés de faire 572 représentations. Mais ne nous emballons pas. Il faut prévoir le gel, la neige, un été torride, de graves crises politiques, une grève générale : tout est possible, et je te dirai franchement que je ne compte que sur une trois centième. Nous aurons peut-être une heureuse surprise, qu'il n'est pas défendu d'espérer : mais en toute certitude, je ne te promets que trois cents représentations.

Il n'eut pas besoin d'insister pour me convaincre.

– Eh bien, lui dis-je, puisque le succès est assuré, je veux rendre à ma pièce son véritable titre. Tu afficheras *Phaéton*.

– Si tu y tiens, mais c'est dangereux...

– J'y tiens absolument.

Phaéton fut donc affiché. Baur n'étant pas libre, ce fut Balpêtré qui le remplaça avec une autorité et une sensibilité que je ne lui connaissais pas...

Mais les 286 000 spectateurs ne se présentèrent jamais aux guichets, et *Phaéton*, dans l'indifférence générale, tomba de l'affiche le dixième jour : Darzens a soutenu jusqu'à son dernier souffle que c'était à cause du nouveau titre.

J'avais confié un manuscrit de *Jazz* à un agent théâtral de Berlin. Il m'avait dit que le rôle pourrait intéresser le grand Emil Jannings, surtout à cause du cinquième acte que j'avais supprimé en France. Six mois plus tard, cet agent m'écrivit pour me dire que Jannings ne pourrait pas jouer *Jazz*, parce qu'il tournait un film dont le sujet était tout à fait semblable au mien. Ce film, ce fut *L'Ange bleu*, qui révéla l'admirable Marlène Dietrich... Lorsque je le vis sur l'écran, je jetai feu et flamme en criant au plagiat, et tous mes amis m'approuvèrent. Je préparai aussitôt un mémoire détaillé pour mon avocat. Mais, pendant que je mettais en parallèle les points de ressemblance entre les deux ouvrages, une idée me frappa soudain : j'avais déjà vu cette histoire, et j'en connaissais depuis bien longtemps les péripéties. Alors je me souvins qu'un soir, lorsque j'avais six ou sept ans, l'un de mes oncles, conseiller municipal de Marseille, avait invité la famille dans la loge de la mairie, à l'Opéra. C'était la première fois de ma vie que je pénétrais dans un théâtre, *et j'avais vu jouer* Faust... Ce Méphisto, ce vieillard brusquement transformé en jeune homme avaient très violemment frappé mon imagination d'enfant : ma pièce n'était qu'une réminiscence et une transposition moderne du *Faust* de Goethe. Certes, je ne me sentis pas coupable d'un plagiat : Goethe lui-même avait trouvé le sujet dans le *Faust* de Marlowe, qui l'avait lui-même emprunté à quelque vieille légende populaire, mais j'étais bien mal placé pour reprocher à ces Allemands d'avoir traité « à leur tour » mon sujet, qui appartenait au domaine public depuis au moins trois siècles... Je renonçais donc à mes prétentions, et je commençai le même jour, vers la fin de juin 1927, deux ouvrages qui devaient s'intituler *Topaze* et *Marius*.

3

TOPAZE

1928

En 1927, le Théâtre des Arts, qui devait s'appeler, un jour, Théâtre Hébertot, jouait toujours ma seconde pièce, *Jazz*, et le Theatre Guild, de New York, venait d'acheter les droits des *Marchands de Gloire*. J'avais devant moi un capital qui représentait cinq ans d'enseignement à Condorcet. Je demandai donc un congé qui me fut accordé, je décidai de vivre en ermite, et de travailler dix heures par jour pour le théâtre : c'était le moment ou jamais.

Je m'installai au boulevard Murat dans un immense immeuble de la Ville de Paris, précédé d'un grand jardin. Mon appartement était au rez-de-chaussée. Il était vraiment très petit : une entrée de deux mètres par trois, et une chambre de trois par quatre. Il y avait aussi une cuisine qu'on pouvait franchir d'un seul pas pour arriver au cabinet de toilette, dans lequel quatre personnes auraient pu se tenir debout sans se gêner. Quatre, mais non pas cinq. On n'aurait jamais pu supposer que, dans cette énorme bâtisse, il y avait un appartement si petit. Pourtant, c'était là mon royaume, et j'y vivais heureux, entrant et sortant par la fenêtre, à toutes les heures du jour ou de la nuit.

La très nombreuse population de l'immeuble était composée pour la moitié de Russes blancs : comtes, princesses, officiers de la garde, capitaines de vaisseau.

C'étaient des gens de bonne compagnie, simples, polis, charmants, qui acceptaient leurs malheurs avec une dignité souriante, et remerciaient la Providence de leur avoir épargné la mort ou la Sibérie. L'un d'eux, grand seigneur véritable, qui avait quitté le gouvernement d'une province pour s'asseoir au volant d'un taxi, me dit un soir, en jouant aux échecs sur un banc du jardin : « C'est maintenant que j'aime la vie!... »

Dans un rez-de-chaussée voisin habitait Edouard Bergonié, docteur en pharmacie, qui avait été longtemps professeur à la Faculté de médecine de Dakar.

C'était un homme puissant : sur des épaules de déménageur, et sous une crinière de lion, il avait un vaste visage, éclairé par des yeux bleu d'azur.

Il me dit un jour :

– Regarde-moi. Je suis construit en triangle. On dirait que dans ma première enfance ma nourrice me suspendait au plafond par les pieds : tout est descendu!

Comme il avait la nostalgie de l'Afrique, il partit avec la Croisière Noire et traversa le continent dans le sens de la longueur, dans une caravane de voitures Citroën... Quand il en revint, il persuada Peugeot d'organiser une seconde Croisière Noire, pour le lancement de la voiture 201 : mais cette fois, on traverserait l'Afrique dans sa largeur. C'est pourquoi il disparut, et reparut trois mois plus tard dans notre jardin, entouré d'une bonne douzaine de négresses à plateau, auxquelles il me présenta comme un grand chef de Paris : cette déclaration me valut un concert de cris honorifiques, mais déchirants, qui firent surgir cent bustes à cent fenêtres. Il avait trouvé ces dames affamées dans une oasis, et les conduisit tout droit au Jardin d'Acclimatation, où leur exhibition eut un si grand succès qu'un imprésario lui proposa une tournée à travers l'Amérique. Il eut le grand tort de se laisser séduire par les dollars : au cours de la tournée, à Sarrazotah, il ouvrit lui-même, avec une lame de rasoir, un furoncle qui venait de surgir sur sa cuisse. La pénicilline était encore inconnue, une septicémie se déclara. Il réunit sa famille autour de son lit, annonça sa mort inévitable, signa des procurations, fit ses adieux, et mourut. Ce fut un homme très au-dessus du commun par sa vitalité, son imagination, son intelligence et sa bonté.

Parce que ma table de travail était devant la fenêtre, au rez-de-chaussée, je participais distraitement à la vie de l'immeuble. Je voyais, sans les regarder, passer tous les jours les mêmes personnes.

Un jeune homme brun m'intriguait. Il n'avait pas d'heure, mais je le voyais souvent, entrer ou sortir, et je le reconnaissais aussi bien de dos que de face.

Il marchait d'un pas rapide, toujours pressé, et pourtant pensif, et ne voyait personne.

Je demandai un jour au concierge qui était ce garçon.

– Il habite au premier étage, juste au-dessus de votre tête. Je ne sais pas ce qu'il fait dans la vie.

Après un petit temps de réflexion, il ajouta, sans admiration ni mépris : « Je crois que c'est un philosophe. D'ailleurs, on m'a dit qu'il écrit dans les journaux. »

Je l'ai vu passer derrière mes vitres pendant deux années, je ne savais pas ce qu'il écrivait, c'était *Les*

Conquérants, un roman qui allait rendre son nom célèbre, qu'il obtiendrait un jour le prix Goncourt avec *La Condition humaine*, et que ce jeune homme brun, qui s'appelait André Malraux, nous rendrait le Louvre et ressusciterait les plus belles pierres de Paris.

Aujourd'hui, quarante-trois ans plus tard, je me demande s'il n'y a pas des lieux de chance et de bonheur : en 1927, sur une surface de vingt mètres carrés, il y avait deux jeunes hommes, qui écrivaient en même temps (à quatre mètres l'un de l'autre dans le sens vertical, et sans se connaître) deux ouvrages littéraires qui ont assuré leur fortune. Je ne sais pas si l'un ou l'autre eût écrit le même ouvrage ailleurs. Voilà, pour moi, du mystère. Il en faut dans une vie : les vies sans mystère n'ont point d'intérêt.

Un matin, un autre jeune homme vint frapper à ma vitre. Il était grand, fort bien vêtu, l'œil noir, les dents brillantes, le front haut, et nu-tête. Il exprima par signes qu'il voulait entrer. J'ouvris la fenêtre. Il la franchit en deux bonds, et il dit avant de toucher le parquet :

— Je m'appelle Jacques Théry.

Je connaissais son nom, car il venait de faire jouer aux Variétés une pièce charmante, intitulée *Le Fruit vert*, qui avait eu un très joli succès.

Il me tendit la main, et dit :

— Je désire faire ta connaissance, car je viens de m'installer au septième étage de l'immeuble mitoyen, et j'ai beaucoup de choses à te dire.

— Assieds-toi.

— Non. J'aime mieux te parler debout.

Il arracha un brin de verdure à un petit bouquet qui ornait ma table, le planta au coin de sa bouche, et se frottant les mains sans raison, il commença une série d'aller et retour sur une assez faible distance, car il était cerné par les murs, et se mit à parler avec une admirable facilité.

Il loua d'abord ma pièce *Jazz*, qui allait terminer sa carrière au Théâtre des Arts, puis m'exposa son programme.

Location d'un théâtre, fondation d'une compagnie théâtrale, dont Pierre Blanchar et Blanche Montel seraient les vedettes, lancement d'une grande revue théâtrale illustrée, pour soutenir un groupe de jeunes auteurs : Marcel Achard, Jacques Natanson, Léopold Marchand, André Lang, Steve Passeur, Paul Vialar, qui étaient déjà mes amis.

J'écoutai sans mot dire ces projets, qui n'étaient pas chimériques car ils furent réalisés.

Il s'arrêta soudain au milieu d'une phrase et roulant entre ses doigts le brin de verdure qu'il avait dans la bouche, comme s'il frisait une moustache, il dit :

– Où déjeunes-tu?

– Au restaurant.

– Tous les jours?

– Oui, matin et soir.

– Ça, dit-il avec force, c'est insensé. Tu veux donc périr un jour ou l'autre avec d'horribles contorsions? Tu te nourris donc de civets de chat, de chiens en daube, et de fricassées de souris? Et les vaches mortes de la fièvre aphteuse, que crois-tu qu'on en fasse? Ton bifteck du soir!

Je protestai vivement, car la cuisine de mon petit restaurant était excellente, et je considérais le patron comme un parfait honnête homme.

– Soit, dit-il, soit. Mais j'ai beaucoup mieux à t'offrir, car voici ce que j'ai décidé. Je vis seul dans mon appartement du septième. Or, j'ai une servante cuisinière qui prépare mes repas tous les jours. Comme mes absences sont fréquentes, elle cuisine souvent pour rien. Alors, par amour-propre, après avoir déjeuné, elle dévore ce qu'elle avait préparé pour moi... Elle est devenue énorme. Encore trois mois, et elle périra, d'ailleurs en même temps que toi. Donc tu vas venir te nourrir chez moi, à midi et le soir. Quand je serai là, nous aurons des conversations passionnantes. Quand je n'y serai pas, tu surveilleras Célestine. C'est une bonne nature. Elle comprend tout, mais ne devine rien. Viens voir mon appartement.

C'était un appartement véritable. Je dis véritable, car je veux dire beaucoup plus grand que le mien : mais en réalité, il ne ressemblait à rien, car il avait été longuement installé par un décorateur de théâtre.

Dans la chambre, on voyait une estrade assez haute, honnêtement rectangulaire. Sur cette estrade, se dressait le lit : mais il avait été posé selon la diagonale. Le décorateur, craignant qu'une servante insensible ne dérangeât cette ordonnance, l'avait assurée par des clous.

Le traversin de cette couche n'était pas un moelleux cylindre : il était plus petit à un bout, si bien qu'il avait exactement le profil d'un porte-voix de marine et, pour préserver cette forme, il y avait, sous la fine toile d'autrefois, un dur étui de carton.

On voyait aussi deux tables de nuit éperdues. Elles étaient triangulaires, c'est-à-dire qu'elles avaient l'air de deux coins de camembert d'une hauteur exagérée.

Le décorateur que j'interrogeai me répondit assez mystérieusement en montrant l'étrave d'une table de nuit : « J'ai voulu donner l'impression de quelque chose qui s'en va. »

Mais ça ne s'en allait pas du tout. Ces choses restaient là, gisantes, sous un plafond tapissé de feuilles d'or. Au premier coup d'œil, on avait vraiment mal au cœur. Ensuite, on s'y habituait, parce qu'on s'habitue à tout.

La salle à manger était du même style que la chambre.

Les meubles, achetés aux Arts décoratifs, se composaient de coins, plus pointus que nature, et réunis entre eux (à regret) par de très petits ronds. Le grand chic de cette fourniture, et son exceptionnel mérite, c'était que tous ces meubles pouvaient s'emboîter exactement les uns dans les autres, de manière à former un bloc énorme, mais rigoureusement plein, aussi régulier, aussi lourd, aussi triste que le tombeau d'un grand architecte.

L'usage de ces meubles nous apprit que leur créateur, désireux avant tout d'assurer l'exactitude de leur emboîtage, n'avait jamais pensé, fût-ce une seconde, à l'utilité qu'ils pourraient avoir après leur extraction de cet ensemble, dont la pression atmosphérique suffisait à maintenir la cohésion. Pour arracher un fauteuil, il fallait un burin et un marteau, et quand on avait vu le fauteuil, on aimait mieux s'asseoir par terre. Il était évident que l'inventeur de ces sièges avait dû se trouver dans la triste situation de Robinson Crusoé, qui n'avait pas vu de fesses depuis vingt ans.

L'installation des lumières avait été confiée à un électricien de cinéma ami et disciple du décorateur. Il y avait des commutateurs partout, on ne voyait de lampe nulle part. Il suffisait d'appuyer sur un bouton. La lumiere jaillissait du pied de la table, du dossier d'un fauteuil, d'un plat de fruits posé sur la desserte, du phonographe ou du téléphone. Ces manigances électriques n'avaient pas été faciles, et c'est pourquoi il y avait des ratés : quand on sonnait la bonne, il ne venait personne mais ça s'allumait dans les cabinets.

A partir de ce jour, après mon travail de la

matinée, je montais chez Jacques, qui venait de se lever, et nous déjeunions en commentant les nouvelles que nous apportaient *Comœdia, Aux Ecoutes*, ou la page théâtrale des quotidiens, car la politique ne nous intéressait en aucune façon. Le changement de direction d'un théâtre nous paraissait beaucoup plus important que les changements de ministère, qui étaient d'ailleurs plus fréquents. Je n'aurais certainement pas remarqué la chute du ministère Herriot, si cette catastrophe politique n'avait pas empêché le président et deux ministres d'assister à la générale des *Marchands de Gloire*.

Au dessert, Jacques s'emparait du téléphone, et appelait diverses personnes pour de longues conversations, parfois mystérieuses, puis il partait vaquer à ses affaires, et je redescendais à ma table de travail.

Le soir, lorsqu'il n'y avait pas de répétition générale, Jacques invitait à dîner quelques auteurs : Léopold Marchand, Jacques Natanson, Paul Nivoix, Marcel Achard, Roger-Ferdinand, Steve Passeur, Alfred Savoir...

Parfois, nous parlions de nos œuvres futures jusqu'à l'aube, et celui qui avait fini d'écrire un acte le lisait à ses amis, qui étaient le plus souvent assis sur le parquet, à côté d'un verre de whisky. Nous étions tout le contraire d'un cénacle, c'est-à-dire d'une société d'admiration mutuelle. La lecture était parfois interrompue par des bâillements concertés, des ronflements simulés, ou des encouragements ironiques.

Le lecteur se rebiffait aussitôt, et donnait des explications, dont l'assistance contestait la valeur en toute bonne foi. Chacun présentait sa critique, offrait un conseil, proposait une solution. De ces cris et de ces querelles fraternelles un certain nombre d'œuvres théâtrales ont grandement profité, et je sais bien moi-même ce que je dois à mes amis.

Le soir où l'on fêta la centième de *Jazz*, j'étais dans un état d'euphorie dû sans doute au champagne (un mousseux explosif dont Darzens avait fait les frais), aggravé par les louanges dont mes amis m'avaient accablé, mais que je ne trouvais pas accablantes. Tout naturellement, c'est Jacques qui me ramena chez moi au petit matin et qui me mit au lit en me prédisant un avenir grandiose.

Je m'éveillai fort tard, en face de quatre rayons de bois blanc chargés de livres, et j'examinai ma situation.

Robert Kemp, critique sévère, m'avait serré la main; Franc-Nohain, l'admirable poète des *Chansons des trains et des gares*, et qui devait un jour engendrer Charles Trenet, Gilbert Bécaud et Georges Brassens, Franc-Nohain lui-même m'avait parlé longuement, comme à un véritable auteur dramatique... D'autre part, je tutoyais Jean Sarment, Natanson, Achard, Jeanson, Signoret, Blanchar, Boyer, Darzens, Théry, Savoir, Léopold Marchand, tous gens célèbres, qui n'avaient plus pour moi que des prénoms... J'en conclus que j'avais un capital moral considérable, mais que, pour le garder, il me fallait absolument écrire un chef-d'œuvre.

Je n'avais pas encore entendu la grande leçon que devait me donner dix ans plus tard l'adorable Vincent Scotto, qui créa, sans y songer, un nouveau folklore de la chanson populaire; à deux heures du matin, sur un trottoir de la rue Blanche et tenant à deux mains les revers de mon veston, il disait :

– Surtout, surtout, ne travaille jamais au chef-d'œuvre : c'est le plus sûr moyen de le manquer. Ecoute-moi bien.

Il prit mon bras et nous montâmes vers les Batignolles.

– Moi qui te parle, j'ai composé quatre mille chansons. Il y en a au moins trois mille qui ne valent à peu près rien. C'étaient des banalités. Des professionnels les ont chantées. Ce que je puis t'en dire de mieux, c'est qu'elles n'ont pas été sifflées – et que même on les a parfois applaudies, le samedi soir, en banlieue. Puis, il y en a au moins cinq cents qui ont eu leur petit succès : mais un an plus tard on n'en parlait plus... Ensuite, il y en a au moins quatre cent cinquante qui ont bien réussi, et même qui ont été chantées au coin des rues avec deux guitares et un accordéon. Finalement, il en reste une cinquantaine qui ont fait le tour du monde et qui sont traduites dans toutes les langues.

Comme j'allais parler, il mit sa main devant ma bouche et dit à voix basse :

– Attends! Sur les cinquante dernières, il y en a six – et peut-être sept – que tout le monde connaît : les peintres les chantent au bout de l'échelle, les maçons sur l'échafaudage et les amoureux du dimanche au bord de la Marne. Et tous ces gens-là – tu m'entends –, ces gens ne savent plus que c'est moi qui les ai faites du bout du doigt sur ma vieille guitare... Elles m'ont échappé, comme des filles qui se marient... Peut-être dans cent ans on en chantera encore trois ou quatre. Et il y a des gens qui diront : « De quelle époque c'est, cette chanson? – Oh, vous savez, c'est vieux! C'est du " foclore ". » Moi, je ne serai plus qu'une poignée d'os dans une boîte, mais mes petites filles danseront toujours sur la barbe d'un vieux mendiant ou sur la bouche d'une amoureuse, et peut-être – peut-être – sur un orgue de Barbarie!

Il se tut un moment, pudique, et comme honteux d'avoir avoué une si grande ambition, et reprit tout d'un coup avec force :

– Si je n'en avais pas composé quatre mille, eh

bien, je n'aurais pas fait celles-là. Viens, allons boire quelque chose chez Lamberty.

Les deux coudes sur la table, en face de moi, il reprit :

– Moi, si j'avais connu la *Sérénade* de Schubert ou la *Berceuse* de Mozart, je n'aurais jamais commencé à noircir du papier à musique. Heureusement j'étais menuisier, je ne savais rien lorsque j'ai fait *La Petite Tonkinoise*, et je l'ai vendue pour un louis d'or. Toi, ton malheur, c'est que tu es trop instruit. Quand tu as écrit quatre répliques, tu penses à Molière, à Racine, à Beaumarchais, et tu te dis : « A côté de ces gens-là, ce que j'écris ne vaut pas grand-chose. » Mais qu'est-ce que tu en sais? Ne te mêle pas de te juger toi-même : tu es le plus mal placé pour ça, dans un sens comme dans l'autre. Quand tu as envie d'écrire, écris : c'est le public qui dira ce que tu vaux.

Il avait raison, le petit Vincent : il est bien vrai que les grandes tragédies de Voltaire ont disparu; son chef-d'œuvre reste *Candide*, qu'il n'a probablement pas fait exprès. Je ne le savais pas encore.

Je réfléchis d'abord longuement au choix d'un sujet. A trente ans, un auteur n'en manque pas. J'en écartai plusieurs, qui me parurent trop près du vaudeville ou du drame, ou de la littérature dramatique, qui est pour moi l'abomination de la désolation. Puis, je me souvins tout à coup d'un très vague scénario que j'avais ébauché une nuit dans un train, en revenant de Marseille, où j'avais passé mes vacances en famille.

On dit parfois que le personnage de Topaze m'avait été inspiré par mon père. Ce n'est pas tout à fait vrai. En réalité, je l'ai inventé, d'après les conversations que j'ai entendues dans mon enfance entre mon père et ses amis.

Pendant les récréations de l'école communale du

chemin des Chartreux, les maîtres causaient tout en surveillant les ébats d'une centaine de garnements. J'allais parfois me réfugier près d'eux, et j'écoutais leurs conversations, que je ne comprenais pas toujours, mais dont certaines sont restées dans ma mémoire.

Ils parlaient un jour d'un marchand de biens qui avait acheté une maison au prix de 10 000 francs, et qui l'avait revendue 25 000. Ils jugeaient cette opération criminelle, et mon père disait : « Ou bien il ne l'a pas achetée assez cher, et il a volé le vendeur; ou bien il l'a revendue trop cher, il a volé l'acheteur. De toute façon, c'est un voleur! »

Pendant un certain temps, ils parlèrent de Panama. Il était question de chèques – j'ignorais le sens de ce mot –, de députés voleurs, de pauvres gens ruinés qui se suicidaient, et mon père disait souvent :

« C'est le type même des affaires financières! »

Je n'ai compris que plus tard que ce « type » n'était pas un homme, mais un modèle, et que mon père assimilait toute opération de Bourse à l'immense escroquerie de Panama.

Un autre jour, beaucoup plus tard, à la chasse, nous déjeunions sous un pin, et mon père parlait d'argent avec l'oncle Jules. Parce qu'il y avait dans cette histoire un peu de magie, je l'ai retenue.

– Supposons, dit mon père, que je sois un clochard. Je m'éveille un matin sous un pont. Je m'étire, je me gratte, je fouille mes poches, que je croyais vides : à ma grande joie, j'y trouve une pièce de dix sous. C'est une découverte importante : aujourd'hui je ne mourrai pas. Je peux acheter un pain, et quelques tranches de saucisson. Cependant, je me fouille encore, et je trouve une autre pièce : voilà un joli morceau de fromage. Je me fouille une troisième fois, et voici une troisième pièce de dix sous! Ça fait une chopine de vin, et plusieurs cigarettes.

Je l'interrompis pour lui faire remarquer qu'il ne buvait pas de vin, et qu'il ne fumait pas.

— C'est vrai, dit-il, mais quand je suis clochard, je fume et je bois. Je suppose que je fouille ainsi mes poches cent fois de suite, et que je me trouve à la tête de cinquante francs avec la certitude que les poches magiques fonctionneront tous les jours. Je vais donc vivre comme un nabab... Mais avez-vous remarqué que chacun de ces francs successifs avait une valeur moindre que le précédent? Et quelle serait la valeur du 51e? Pratiquement nulle. C'est pourquoi il serait malhonnête de le prendre, ou même le gagner, parce que si je le gagne, j'en prive quelqu'un : et pour ce quelqu'un, c'était peut-être le premier, le franc de la vie.

Je réfléchissais au sens de ce discours, que je trouvais très noble et très beau. Mais l'oncle Jules s'écria :

— Mon cher Joseph, si vous avez un jour la chance de posséder ces poches magiques, ne vous arrêtez pas au 51e franc! On ne sait pas ce qui peut arriver! Poussez donc jusqu'au deux cent millième, et achetez immédiatement un bon portefeuille d'actions qui vous rapportera 6 000 francs par an.

— L'intérêt de l'argent placé, répliqua mon père, est immoral. Si bas que soit le taux, c'est de l'usure!

L'oncle Jules leva les bras au ciel, et je ne sais pas ce qu'il aurait dit si le vent n'avait pas apporté l'appel d'une perdrix.

Ils se levèrent aussitôt, et partirent courbés sous les broussailles.

Les jeunes gens d'aujourd'hui penseraient que mon père était un naïf incurable dont la vie n'avait point fait l'éducation, et dont par conséquent l'intelligence n'était pas très éveillée.

Je leur répondrai qu'au contraire je l'ai vu dépenser des trésors d'intelligence et d'ingéniosité pour instruire les enfants des autres comme s'ils eussent été les siens, et que son triomphe, c'étaient les petits « demeurés » : il les gardait après la classe, et quand il en avait amené un jusqu'au certificat d'études, je le voyais transfiguré.

Il n'était d'ailleurs pas le seul de nos instituteurs de cette époque à faire son métier avec un dévouement, une abnégation d'apôtre, et je suis sûr qu'aujourd'hui même, dans des banlieues pauvres ou dans des villages, il en reste encore un bon nombre, qui sont l'honneur de l'Université.

Pendant mon séjour à Paris, j'avais rencontré, au hasard des brasseries ou des répétitions générales, des hommes d'affaires, des courtiers, des politiciens, des « agents immobiliers », dont les procédés, me disait-on, n'étaient pas tout à fait catholiques. Ils avaient voiture et chauffeur, habitaient les beaux quartiers, allaient en week-end à Deauville, et passaient deux mois d'été à Cannes ou à La Baule.

Une nuit, dans un train, en revenant de Marseille, je pensais donc que j'allais retrouver à Paris bien des gens qui ne valaient pas mes instituteurs, et que si mon père n'avait pas été paralysé par son idéal, par ses principes, par son respect des autres, il aurait pu réussir aussi bien qu'eux : il est plus facile de faire des affaires que des hommes.

C'est alors que j'eus l'idée d'écrire un jour une pièce de théâtre où l'on verrait un homme pur entraîné – sans rien y comprendre – dans de louches combinaisons.

Il fallait cependant une excuse à sa naïveté, pour qu'elle ne parût pas exagérée. Je pensai aussitôt à l'amour, qui rend souvent stupides des gens très intelligents... Enfin, lorsqu'il découvrirait – avec une grande amertume – la toute-puissance de l'argent, il se révolterait; puis, déjà contaminé lui-même, il accepterait les nouvelles règles du jeu.

Le personnage que j'ai mis en scène n'est donc pas un portrait de l'instituteur : ce qui est vrai, c'est l'honnêteté scrupuleuse, la croyance aux moralités proverbiales, les leçons gratuites, et le rêve des palmes académiques. Tout le reste est fortement grossi, selon l'optique théâtrale. D'ailleurs, si pareille aventure était arrivée à mon père, je suis sûr qu'au moment de la révélation il serait allé se livrer à la justice et peut-être même se serait-il suicidé.

Une nuit, au retour d'une répétition générale, j'établis mon scénario en quelques heures. Au lever du jour, je le relus. J'en fus charmé, et persuadé que cette histoire pouvait être considérée comme l'armature parfaitement construite d'une pièce de théâtre brillante, moderne, et qui serait le chef-d'œuvre de l'année, sous le titre *La Belle et la Bête*.

De toutes les illusions, celle de l'écrivain est la seule féconde : elle est indispensable à l'auteur qui commence un nouvel ouvrage. Quelques-uns en sont heureusement possédés jusqu'à la fin de leur travail. D'autre (des bienheureux) jusqu'à la fin de leur vie, même après des « fours », particulièrement froids.

Par malheur, je n'ai pas cette force d'âme; cette vaniteuse confiance m'abandonne au troisième jour et ne me laisse que la triste réaction d'une stérile modestie.

Sans en parler à personne j'écrivis le premier acte avec beaucoup de soin.

Au soir fatal du troisième jour, je réunis une soixantaine de pages arrachées à des cahiers, je relus mon ouvrage, et je fus consterné. Ce n'était pas un premier acte, c'était une pièce en un acte assez bien faite, avec son exposition, ses péripéties, et son dénouement. La suite que j'avais imaginée n'était pas obligatoire; de plus, j'avais mis en scène, comme dans *Jazz*, des professeurs, et d'autre part, cette pension Muche était une réminiscence de Dickens : elle ressemblait beaucoup trop à l'école de M. Squeers. Bref, j'étais bien loin du chef-d'œuvre entrevu, et j'enfermai cet avortement dans un tiroir.

Après deux jours de découragement, je pensai tout à coup à une suggestion de Pierre Blanchar. Il était né à Philippeville, en Algérie, mais il avait terminé ses études à l'école d'hydrographie de Marseille, d'où il était sorti capitaine au long cours, avec un accent marseillais authentique, et fort plaisant. Il m'avait dit : « Tu devrais écrire une pièce marseillaise, qui se passerait sur le Vieux-Port. »

J'imaginai aussitôt l'intrigue de *Marius*, et je me mis au travail, avec un enthousiasme renouvelé.

Je ne disais rien à Jacques de mes espoirs ni de mes découragements.

Il me demandait parfois :

— A quoi travailles-tu?

— A une pièce de théâtre, bien sûr.

— De quel genre?

— Je ne veux rien te dire tant que je ne suis pas content de ce que je fais. J'ai l'intention de t'étonner, mais je n'en suis pas encore là.

Cependant, j'écrivais *Marius*, riant tout seul de mes trouvailles, qui me paraissaient moins comiques à la seconde lecture, et tout à fait vulgaires le lendemain. De plus, une conversation avec mon ami J.-P. Liausu m'inquiéta grandement.

Il revenait de Marseille, où il avait vu jouer une revue sur la scène de l'Alcazar.

— C'est très curieux, me dit-il. Ces gens-là ne manquent pas de talent mais je ne comprends pas la moitié de ce qu'ils disent. On voit bien que ce genre est une très ancienne tradition, mais il faut être dans le secret, et comprendre leur langue.

Je fus une fois de plus découragé : j'abandonnai *Marius*, et je relus le premier acte de *La Belle et la Bête*. Le temps l'avait sensiblement amélioré... J'allais donc me remettre au travail, lorsque, au petit déjeuner du matin, Jacques me dit :

— Spinelly se repose dans sa villa de Bidart près de Bayonne, et elle nous invite à passer quelques jours chez elle. Qu'en dis-tu?

— Tu m'en vois ravi.

Spinelly était, à cette époque, une très célèbre vedette de comédies légères et de revues.

Parisienne, et quand il lui plaisait « Parigote », sa seule présence assurait le succès d'un ouvrage, non seulement par son talent mais par son physique : les connaisseurs disaient qu'elle avait les plus belles jambes de Paris, d'autres experts lui opposaient passionnément celles de Mistinguett.

On dirait aujourd'hui qu'elle était terriblement « sexy », et une petite cohorte de libidineux vieillards venaient l'admirer plusieurs fois dans le même spectacle. Pourtant, tout au contraire des ingénues d'aujourd'hui, elle n'eût jamais accepté de jouer un rôle en chemise. Il me semble que nos starlettes modernes poussent trop loin le strip-tease, parce qu'elles n'ont pas compris que la curiosité est le plus puissant moteur de la « libido »; après leurs exhibitions, elles ont perdu leur mystère; celui qui sait leur nom sait leur plus grand secret.

Je fus charmé à l'idée d'aller passer quelques jours chez cette belle hôtesse, dont la conversation était aussi piquante que la beauté.

— Nous partons en voiture demain, dit Jacques. Mais comme la route est longue, tu me raconteras la pièce que tu mijotes en grand mystère depuis deux mois.

En trempant un croissant dans son café, il reprit :

– Ce sera un bien plaisant voyage, si Faust se tient tranquille.

– Faust? Quel Faust?

– Le chien.

– Quel chien?

– Elle veut que nous lui amenions son chien, qui s'appelle Faust.

– J'adore les chiens. Est-ce qu'il est méchant?

– Je ne crois pas. S'il l'était, il aurait déjà tué plusieurs personnes, car il pèse au moins soixante kilos, et on ne l'admet pas dans la salle à manger parce que, d'un coup de queue, il balaie la table. D'autre part, c'est un très bon gardien. Un jour Blanche Montel est entrée dans le jardin sans prévenir : il lui a posé ses pattes sur les épaules : elle est tombée assise dans l'herbe, il s'est assis en face d'elle, en poussant des grognements affreux chaque fois qu'elle bougeait, jusqu'à l'arrivée de Spinelly. Il l'avait déjà fait au laitier et au facteur. Remarque bien : ce n'est pas de la méchanceté, c'est de la technique, c'est l'application de la consigne reçue... Dans le fond, je le crois très affectueux.

A 7 heures du matin, nous allâmes chercher Faust, à Rueil. Il était d'un marron mêlé de brun, presque aussi gros qu'un âne, avec une tête de veau. Il manifesta, à la vue de Jacques, une amitié dangereuse, car il se rua plusieurs fois sur lui, qui réussit par bonheur plusieurs esquives de toréador.

Il me flaira, tandis que Jacques lui vantait à haute voix ma gentillesse et mon talent. Il alla jusqu'à lui dire que j'appartiendrais un jour à l'Académie française : Faust m'offrit son amitié par deux coups de museau dans l'estomac.

Nous l'installâmes, sans trop de peine, sur une malle plate, coincée entre la banquette arrière et les dossiers de nos sièges, et la voiture s'élança sur la route nationale, qui était bombée comme un parapluie ouvert, mais toutefois assez large pour permettre sans danger le croisement de deux voitures.

Je savourais mon bonheur. Je pensais que mes collègues et amis de Condorcet étaient en ce moment même assis en chaire, ou debout, la craie en main, devant le tableau noir. Moi, je n'avais plus d'emploi du temps (je n'avais même pas pensé à prendre ma montre) et j'allais passer quelques jours chez l'une des plus jolies femmes de Paris, en compagnie d'un auteur connu, qui était aussi directeur de théâtre et qui allait jouer mes prochaines pièces sur une scène des Boulevards...

Lorsque nous eûmes traversé les banlieues, Jacques me dit tout à coup :

— Alors ? Ta pièce ? Le titre ?

— *La Belle et la Bête*.

— Excellent — mais je crains qu'il ne soit déjà pris.

— Je crois, dis-je, qu'il est dans le domaine public, depuis le conte de Mme Leprince de Beaumont. Au besoin, j'en changerais.

— Ce serait dommage. J'espère que ce n'est pas une féerie ?

— Non, rassure-toi.

Je commençai aussitôt l'exposé de mon scénario, Jacques, les yeux fixés sur l'horizon, écoutait, et de temps à autre, souriait.

Tandis que les platanes défilaient, comme j'arrivais à la fin du premier acte, un poil rude picota mon oreille, et un poids considérable tomba sur mon épaule; Faust venait d'y poser son mufle.

J'essayai de le repousser : le monstre gronda horriblement.

– Ho! ho! dit Jacques, ne le provoque pas!

– Je ne lui ai absolument rien fait. J'avais même oublié son existence!

– C'est ce qu'il te reproche... Il te déclare son amour, et j'en suis émerveillé, car il ne fait pas ça à tout le monde, et toi, tu le repousses... S'il se vexe, il est capable de nous étrangler tous les deux... Je t'en supplie, ne bouge pas. N'oublie pas que sa canine droite frôle ta carotide. Alors, le second acte?

Malgré le poids du mufle qui écrasait mon épaule, je continuai mon récit, entremêlé de quelques répliques que j'inventais à mesure.

Jacques, tout à coup, éclata de rire, et dit : « Bravo! Bravo! » J'éclatai de rire aussi, fort content de moi-même.

Au même instant, une langue baveuse me ferma la bouche en me retroussant le nez.

Je criai :

– Ah non! Non! Ce n'est pas possible! Arrête la voiture, et lâchons cette brute dans le paysage!

– Tu prends très mal la chose, dit Jacques. Ne crois pas qu'il ait eu l'intention de t'insulter. Au contraire! Il a vu que nous étions contents : il a voulu participer à l'allégresse générale, et te féliciter à sa manière.

Mais comme j'essuyais mon visage avec mon mouchoir, la brute retroussa soudain ses babines, et gronda profondément, en découvrant des crocs aussi grands que ceux que j'avais vus dans mon enfance suspendus à la chaîne de montre des explorateurs d'autrefois.

– Couché, Faust, couché! cria Jacques.

Faust, vexé, poussa un grondement d'infrason, en quelque sorte souterrain, Jacques arrêta la voiture, et nous sautâmes à terre. Le monstre nous suivit, et courut inonder le tronc d'un platane.

– J'ai une idée, dit Jacques.

Il revint au véhicule, et mit la grande malle debout derrière mon fauteuil; elle était ainsi plus haute que le dossier du siège, et me protégeait efficacement.

– Voilà, dit-il. Tu ne risques plus rien.

– Mais toi?

– Il me connaît depuis longtemps. Je ne l'intéresse plus.

Il ajouta mélancoliquement.

– C'est toi qu'il aime.

Nous repartîmes. Faust, stupéfait par l'érection magique de cette malle, s'en consola, en posant ses deux pattes sur les épaules de Jacques, et le menton sur son crâne : c'est-à-dire qu'il prit la pose de la peau du lion de Némée sur les épaules et le front d'Hercule.

Jacques, stoïque et souriant, reprit la route et je commençai l'exposé du troisième acte. Faust, les yeux fixés sur l'horizon, aboyait à grandes secousses au passage d'une charrette, d'un chemineau, ou d'un chien...

Cependant je parlais toujours, les kilomètres défilaient, et des centaines de platanes tombaient sans bruit derrière nous. Faust, peu à peu, s'était calmé, et tout paraissait aller pour le mieux; mais au moment où j'attaquais la grande scène du quatrième acte, j'entendis un hoquet graillonneux, en même temps qu'un jet jaunâtre et spumeux frappait le pare-brise instantanément dépoli : la brute subissait l'attaque du « mal des transports ».

Jacques freina brutalement.

– Ça, dit-il, c'est dangereux. Je ne puis pas garantir la sécurité de trois passagers dans ces conditions. Nous sommes encore à 500 kilomètres de Bidart. Sept ou huit heures de route sous les vomissements d'un chien géant, ce n'est pas possible.

– Alors, que faire?

– A la première ville importante – je crois que

c'est Poitiers – nous prendrons le train pour Bayonne, et Spi viendra nous chercher à la gare.

– Mais lui? On ne le voudra pas dans le train!

– Erreur. A l'arrière du dernier wagon, il y a une cage spéciale. Faust a fait ce voyage au moins deux fois. La difficulté sera de l'y faire entrer. On verra bien. Je laisserai la voiture dans un garage. Nous la reprendrons au retour.

A la gare, il me confia la laisse du monstre, pendant qu'il allait demander de l'aide à quelque cheminot pour l'encager à l'arrivée du train de Paris.

Faust voulut le suivre, et m'entraîna à travers la gare, dans la position d'un skieur nautique, au creux d'un sillage de gens qui s'écartaient devant lui.

Le premier cheminot rencontré regarda Faust, et répondit qu'il avait une femme et des enfants. Un autre déclara simplement qu'il n'était pas dompteur, et le train arriva sur ces entrefaites.

Jacques, hautain et sarcastique, dit aux cheminots que leur courage ne faisait pas honneur à la Compagnie et que nous allions embarquer le chien nous-mêmes, ce qui les fit rire aux larmes. Ils nous accompagnèrent, suivis de quelques badauds, pour voir la suite des événements.

Le bagagiste du train sauta sur le quai, ouvrit à l'arrière du wagon une grille de fer qui était parallèle au trottoir, et dit :

– Débrouillez-vous, j'ai déjà été mordu deux fois. Alors, les clebs, j'y touche plus.

– Bien, dit Jacques. Je vais soulever l'avant-train, toi, occupe-toi de l'arrière; mais, surtout, ne le prends pas par la queue!

J'avoue que je n'étais guère rassuré : mais comme Jacques se penchait vers l'épaisse encolure, Faust poussa un petit gémissement, et bondit d'un seul coup dans la cage, dont il flaira passionnément la

102

paille, tandis que le bagagiste refermait prestement la grille, en disant :

– Vous avez de la chance! Hier, j'avais une chienne aussi grosse que lui...

Quand nous fûmes enfin installés dans le train, Jacques alluma un cigare, et me dit :

– Je t'écoute. Nous en étions à la grande scène de la fin, quand Topaze vient rendre visite à son ami.

– Topaze? Quel Topaze?

– Le vieux pion, celui qui est resté à la pension Muche.

– Tu veux dire Tamise?

– Oui, c'est ça. Tamise. Alors?

Je terminai mon récit, et il m'affirma que j'avais conçu un chef-d'œuvre, je protestai modestement, mais faiblement.

Lorsque nous rentrâmes à Paris, j'étais encore tout chaud des éloges de mon ami et je relus les brouillons de *La Belle et la Bête*.

Le nom de Martinet, que j'avais donné à mon héros, me déplut; il ne sonnait pas bien, et semblait révéler une sorte de férocité chez ce maître d'école; je repensai à Topaze. Il me sembla que ce nom bizarre ferait la paire avec Tamise... C'est ainsi que grâce à Faust, grâce surtout à un heureux lapsus de mon ami, *La Belle et la Bête* devint *Monsieur Topaze*.

Pourtant, ce que j'en relus ne me plut guère, je ne saurais dire pourquoi. J'en revins à mon idée que le premier acte était une bonne pièce en un acte, et que j'essaierais de la faire jouer au Grand-Guignol. Sur quoi, je terminai *Marius*, et, sur une machine à écrire qui avait un clavier anglais, j'en tapai à grand-peine le manuscrit.

Comme j'étais novice dans cet art, ce travail n'avançait que lentement et j'avais le temps de réfléchir entre chaque phrase; je fis ainsi un grand nombre de coupures et d'additions qui contribuèrent plus tard au succès de l'ouvrage.

J'étais très occupé par ces rajustements lorsqu'un après-midi, en revenant d'un déjeuner chez Pierre Blanchar, je trouvai Jacques et Marcel Achard installés dans mon rez-de-chaussée.

Etant maître chez moi comme je l'étais chez lui, Jacques avait fouillé mes tiroirs, et Marcel, un manuscrit à la main, jouait le premier acte de *Topaze*. Comme j'allais parler, il me dit sévèrement : « Tais-toi. » En entendant mon texte, souligné par des éclats de rire, je repris courage. A la fin, Marcel me demanda :

– Et la suite?

J'avouai mes inquiétudes sur la valeur du scénario.

– Nous l'avons lu, ton scénario. Il est vivant, il est amusant, et il tient debout. La vérité, dit-il en me montrant du doigt, c'est que ce monsieur est un prétentieux. Il voudrait du premier coup effacer Molière et Shakespeare. Il n'en est pas question. Je t'ordonne de terminer cette pièce. Si tu ne le fais pas, je te préviens que jusqu'à ta mort, ou la mienne, je ne t'adresserai la parole qu'après un ricanement.

Réconforté par cette diatribe et cette menace, je me mis courageusement au travail. Lorsque l'inspiration faisait défaut, je tapais le manuscrit de *Marius*, et je terminai en même temps ces deux entreprises.

Je confiai cette première copie à Pierre Blanchar; il me téléphona le lendemain avec l'enthousiasme d'un véritable ami, et comme il jouait à cette époque au Théâtre Sarah-Bernhardt, il me promit de soumettre ce chef-d'œuvre à ses directeurs, qui étaient les frères Isola.

Jacques déclara à son tour que si ce tandem fraternel refusait *Marius*, leur nom serait pour jamais ridiculisé. Il se proposa d'aller le leur dire immédiatement : je le priai de leur laisser le temps de se faire une opinion.

Malgré les heureuses conséquences de ma dactylographie au ralenti, je décidai de porter les brouillons de *Monsieur Topaze* chez Compère, afin de gagner du temps.

M. Compère dirigeait une entreprise de copies fort judicieusement installée au 14, rue Henner : elle n'était séparée de la Société des Auteurs que par un mur mitoyen.

Le maître de ces bureaux était un homme grand et fort, qui portait une épaisse moustache. Je le respectais et je l'admirais parce que c'était lui qui lisait le premier, et depuis près de trente ans, presque toutes les pièces de théâtre jouées à Paris; je me demandais avec inquiétude ce qu'il allait penser de la mienne.

Il prit la peine de me téléphoner deux jours plus tard, pour me dire que mes copies étaient prêtes, et il ajouta ces paroles sublimes :

« Jeune homme, cette pièce sera reçue instantanément dans n'importe quel théâtre et on la jouera trois cents fois. »

Il se reprit, pour dire : « AU MOINS trois cents fois. »

Il avait vraiment une belle voix, et je courus chez lui pour l'entendre de plus près.

Cependant, en attendant le métro à la station Porte de Saint-Cloud, il me vint une affreuse pensée : « Il est probable qu'il dit la même chose à tous ses clients. » Mais je la repoussai avec indignation, en me reprochant de vilipender un honnête homme, dont je n'avais aucun intérêt à suspecter la sincérité.

Il me reçut à bras ouverts, et me répéta ses éloges, puis me donna de précieux conseils.

– Vous avez là six exemplaires, me dit-il. Qu'allez-vous en faire?

– Je vais d'abord en donner un à Pierre Blanchar. Il joue en ce moment au Théâtre Sarah-Berhnardt, et il est l'ami des frères Isola. (Je n'osai pas dire que Blanchar avait déjà remis à ces directeurs mon dactylogramme de *Marius* et que nous attendions leur réponse.)

– Oui, peut-être, dit Compère, c'est un bon théâtre, mais je ne sais pas si les Isola aimeront le genre de la pièce. Ce n'est pas impossible. Et ensuite?

– Je vais en donner un autre à Darzens, qui a joué chez lui ma pièce *Jazz*.

– Si vous voulez, me dit-il, si vous voulez. En tout cas, allez porter le troisième exemplaire chez Antoine, 2, place Dauphine.

– Je ne le connais pas encore. Il a écrit de beaux articles sur mes deux premières pièces, mais je n'ai jamais osé aller le remercier.

– Déposez donc un manuscrit chez sa concierge. Il me connaît depuis longtemps, je puis me permettre de lui téléphoner. Il n'a pas de théâtre, mais plusieurs directeurs le consultent souvent. Allez ensuite à la Comédie des Champs-Elysées, et laissez-y le quatrième exemplaire pour Jouvet. Le rôle peut le tenter. Vous le connaissez?

– Je l'admire beaucoup, et j'ai écrit un très long article sur lui, après la générale de *Knock*. Il en a été touché; je vais le voir souvent en coulisses, mais je ne lui ai jamais parlé de mes pièces, il ne m'en a jamais parlé non plus.

– Eh bien, je vous promets qu'il vous parlera de celle-là. Le cinquième exemplaire, à l'Odéon, pour Gémier. Il aura peut-être peur du rôle, qui est très long, et sa mémoire est un peu courte... Mais on ne sait jamais, et c'est un très grand comédien. Enfin le sixième à Victor Boucher, à la Michodière. Et puis, attendez.

– Mais, dis-je (voyez comment nous sommes, nous autres écrivains), puisque vous me dites que cette pièce sera jouée n'importe où, pourquoi me conseillez-vous de la soumettre à cinq directeurs à la fois?

Compère, le bon Compère, éclata de rire, et dit :

– Pour le sport! Vous allez en refuser quatre! Est-ce que ça ne sera pas magnifique?

C'était en effet si magnifique que je crus qu'il était fou, mais d'une folie plaisante.

Il appuya sur un bouton; une dactylo parut, sourit, et déposa sur le bureau un paquet cubique, soigneusement ficelé, qui contenait six copies de *Topaze*.

– Voilà votre fortune, dit Compère. Ne perdez plus de temps à écouter mes bavardages. Inscrivez sur les couvertures votre adresse, votre téléphone et faites tout de suite ce que je vous ai dit. Vous en avez pour la journée. Et ce soir, allez dîner en ville avec vos amis : vous pouvez leur offrir le champagne, même à crédit.

Je partis, ébloui, mon paquet sous le bras, et je fis une tournée de facteur, en parlant modestement aux concierges, que la seule vue d'un manuscrit faisait sourire.

L'un d'eux, qui se rasait devant un miroir fendu, me désigna sa table du bout de son rasoir grand ouvert, et dit :

– Posez ça là. Je ne sais pas ce qui se passe aujourd'hui : c'est le troisième.

Je déposai en effet *Topaze* sur deux autres manuscrits, qui portaient, eux aussi, l'estampille de Compère, et je me retirai, avec un petit sourire ironique qui n'eut aucun effet, car cette brute ne regardait que son image.

Je pensai :

– Toi, si ma pièce est un succès, je reviendrai te voir, pour te rappeler, devant témoins, ton attitude méprisante d'ignorant mal élevé.

Nous avons tous ainsi conçu des projets de vengeance, que nous avions oubliés quand nous fûmes en état de les réaliser.

A midi, il me restait encore trois copies. Après un déjeuner solitaire et joyeux, j'en déposai une au 2, place Dauphine, chez le grand Antoine, puis au Théâtre de la Michodière, et le soir, j'allai voir Max Dearly, qui fut un admirable comédien et l'un des maîtres de sa génération. Né en Avignon, il s'appelait Max Rolland, mais au début de sa carrière, il avait joué la comédie en Angleterre : il en avait rapporté un comique particulier, qui n'était pas le comique anglais, mais une combinaison harmonieuse d'humour et d'esprit. Je savais que s'il acceptait de jouer le rôle, le succès était assuré.

Il me reçut avec beaucoup de gentillesse, me parla des *Marchands de Gloire*, mit mon manuscrit dans son tiroir, sur des barbes et des bâtons de maquillage, et s'enfuit à l'appel d'un régisseur.

J'avais résolu de ne rien dire à Jacques de ma visite chez Compère, ni de mes démarches : ce mensonge par omission ne fut pas nécessaire, car il avait laissé sur ma table une note qui prévoyait une absence de trois ou quatre jours, « pour affaires ».

Je ne dormis guère cette nuit-là, et dès le lendemain matin – tout en me disant à haute voix que j'étais ridicule – j'allai m'installer dans l'appartement désert de Jacques, près du téléphone. De temps à autre, je descendais du septième – par l'ascenseur – pour visiter ma boîte aux lettres, avec l'espoir d'y trouver un pneumatique triomphal.

J'y trouvai un prospectus qui me conseillait une

croisière en Grèce, et un avertissement du percepteur... Puis je remontais en hâte, craignant d'avoir manqué l'appel urgent d'un directeur ébloui. Vers onze heures, le timbre enfin grelotta. Je le pris d'une main tremblante, et une voix toulousaine, qui roulait les « r », me demanda si j'étais la gare Saint-Lazare. Je ne répondis qu'un seul mot.

Enfin, j'appelai Compère, pour lui dire que j'avais suivi ses conseils, mais en réalité dans l'espoir d'entendre de réconfortantes louanges, et peut-être d'avoir des nouvelles d'Antoine? Les louanges ne manquèrent pas, puis il me dit qu'Antoine avait bien reçu la pièce, et qu'il avait promis de la lire.

— Mais ne vous impatientez pas, ajouta-t-il. Si vous aviez une réponse avant trois ou quatre jours, ce serait un miracle.

Je décidai donc de n'y plus penser, décision dont l'effet fut nul, et je passai encore deux journées entre la boîte aux lettres et le téléphone, qui m'apporta de nombreux messages : notre boucher me donnait le choix entre l'entrecôte et le rumsteck, une comédienne inconnue m'informait que je ne l'emporterais pas au paradis, et qu'elle me considérait comme un voyou (à quoi je répondis en exprimant des doutes sur la pureté de ses mœurs), puis un monsieur me demanda une commandite de 100 000 francs, et comme je lui disais que je n'étais pas Jacques, il répliqua que j'avais beau déguiser ma voix, il la reconnaissait parfaitement, et qu'il renonçait à toutes relations avec un farceur et un hypocrite qui usait d'un procédé aussi mesquin pour refuser de rendre service à un ami qui lui offrait la plus belle affaire de sa vie.

Le dimanche, alors que je n'espérais rien ce jour-là, Pierre Blanchar m'appela.

— Le secrétaire des Isola t'attend aujourd'hui

même. Il a lu les deux pièces, et il désire t'en parler...

– Est-ce que cette lecture l'a intéressé?

– Certainement, puisque je lui ai donné *Topaze* hier, et qu'il l'a lu cette nuit. Il vient de me téléphoner. Vas-y vers quatre heures, pendant la représentation.

En attendant cette heure marquée par le destin, j'échafaudai des raisonnements d'une solidité incontestable.

– Primo : cet homme a lu *Monsieur Topaze* cette nuit. Il faut donc qu'il ait aimé *Marius*, sinon il n'aurait pas pris sur son sommeil pour lire une autre pièce du même auteur. Il veut m'en parler : il l'a donc lu tout entier, d'un seul trait. Voilà qui est très important. Mais pourquoi a-t-il dit à Pierre qu'il voulait « m'en parler », au lieu de lui dire que les Isola voulaient monter *Monsieur Topaze* à Sarah-Bernhardt? La réponse est clairement discernable. Ils ne peuvent pas – ou ils ne veulent pas – recevoir en même temps deux ouvrages du même auteur. Cela ne s'est jamais vu. La vérité, c'est qu'ils hésitent, ils n'osent pas choisir, et c'est sur ce choix que cet homme va me consulter. Que vais-je décider? J'aimerais bien avoir l'avis de Jacques, mais qui peut savoir où il est? Si ce n'était pas dimanche, je téléphonerais à Compère... Eh bien, je vais demander à cet aimable secrétaire vingt-quatre heures de réflexion, et j'irai voir Compère demain matin.

Je déjeunai de grand appétit, et je partis vers 3 heures pour le rendez-vous de la gloire.

Je pénétrai dans le théâtre par l'entrée des artistes, et je fus conduit au bureau de l'expert.

C'était un homme assez affable, mais qui prenait l'air de quelqu'un qui connaît très bien son affaire. Il me reçut aimablement, me fit asseoir, et prit place derrière son bureau, où je voyais, l'un sur l'autre, mes deux manuscrits.

– Monsieur, me dit-il, j'ai lu avec beaucoup de sympathie les deux pièces que M. Pierre Blanchar, votre ami, nous a soumises. Cela est plein de qualités, mais il est visible que vous êtes bien jeune, et que vous ne connaissez pas encore les lois du théâtre.

Il me démontra, par des arguments qui me parurent absurdes, que ni *Topaze* ni *Marius* n'avaient la moindre chance d'intéresser le grand public. Comme sa petite conférence menaçait de durer longtemps, je me levai, je pris les deux manuscrits, je le saluai et je sortis.

J'étais consterné, et je pensais avec amertume aux pronostics démentis de Compère. J'essayai de me rassurer, en décidant que l'expert des Isola n'était qu'un prétentieux bavard, puis, rentré chez moi, j'appelai Pierre Blanchar. Il m'affirma que le monsieur que j'avais vu n'était nullement qualifié pour me donner une réponse; et qu'il allait parler lui-même à ses directeurs.

Je le priai dignement de n'en rien faire, puis comme il insistait, j'ajoutai :

– Si tu tiens à leur dire quelque chose, tu peux leur affirmer que désormais, pour rien au monde, je ne consentirai à être joué au Théâtre Sarah-Bernhardt...

Je n'ai pas tenu parole, puisque, vingt-cinq ans plus tard, Julien y montait sans la moindre protestation de ma part une reprise de *Marius* qui tint l'affiche pendant deux cents représentations : j'étais à ce moment bien loin de l'espérer, et, jusqu'à l'aube, une coléreuse inquiétude me tint éveillé.

Le lendemain matin, je repris ma garde auprès du téléphone. Je reçus encore plusieurs communications irritantes, puis, enfin, ce fut Darzens qui me parla.

– Ta pièce me plaît beaucoup. Jean d'Yd sera

extraordinaire. J'en parle à Blum cet après-midi. Viens dîner avec moi demain soir, nous signerons le bulletin de réception!

C'était un peu bref, mais d'une belle clarté!

La seconde réponse commençait à confirmer l'opinion de mon cher Compère. J'allais appeler Marcel Achard, pour lui annoncer ma réussite, lorsque le téléphone m'appela moi-même : la voix du secrétaire de Gémier m'informait que le « patron » était tout disposé à monter *Topaze*, et qu'il désirait me voir le lendemain au théâtre, à 6 heures précises.

Ce fut une journée grandiose, complétée, vers les 3 heures de l'après-midi, par un pneumatique de Max Dearly :

« Votre pièce m'intéresse. Venez me voir ce soir au théâtre. »

Intéresser Max Dearly, c'était le rêve de tous les jeunes auteurs. Ma vanité naissante trouva cette expression un peu froide.

Jacques était toujours absent, et je ne pus réussir à joindre Marcel Achard, ni Steve Passeur. Il m'était pénible de me réjouir tout seul, et de me taire quand j'avais un si beau sujet de conversation... J'allais téléphoner à Blanchar lorsque Léopold Marchand m'appela.

Léopold, c'était notre bon géant. Ignorant l'envie, il était toujours heureux, et surtout du bonheur des autres. Sa passion, c'étaient les soldats de plomb. Il en avait plusieurs armées, et dans de riches vitrines, il reconstituait Austerlitz ou Waterloo, avec une minutie et une précision qui faisaient l'admiration des connaisseurs. Il écrivait aussi des comédies, dont plusieurs obtinrent un très grand succès, comme *Durand bijoutier, Nous ne sommes plus des enfants, La Belle Amour, Trois Valses*, et d'autre part Colette avait pour lui une grande amitié; c'est lui qui avait porté à la scène *Duo, La Seconde, Chéri, La Vaga-*

bonde, avec une science du théâtre efficace et une sensibilité presque féminine.

Naturellement, il m'appelait pour m'annoncer une heureuse nouvelle.

– Je viens de rencontrer Jouvet, me dit-il d'une voix joyeuse. Tu lui as envoyé une comédie, il la trouve remarquable, et il compte la monter la saison prochaine! D'ailleurs, il t'a écrit ce matin!

Je fus tout naturellement enchanté, puis je lui racontai mes aventures. Il ne répondit qu'un mot :

– J'arrive!

Nous eûmes une discussion délicieuse, sur un problème somptueux : quel théâtre choisir? Le bon Léo était aussi heureux que moi. Entre deux arguments, il éclatait de rire, se levait, faisait quelques pas, les mains dans les poches, puis venait se rasseoir, et la discussion reprenait...

Il fallut ensuite lui raconter la pièce, et en lire quelques extraits : il ne m'en restait que des brouillons.

Après un dîner joyeux dans un restaurant de la rue Blanche, nous allâmes ensemble voir Max Dearly dans sa loge.

Tout en se maquillant, le célèbre comédien (qui connaissait Léopold depuis longtemps) nous dit qu'il allait bientôt prendre la direction d'un théâtre tout neuf, celui du Casino de la Méditerranée, à Nice : il en ferait l'ouverture, évidemment triomphale, avec *Monsieur Topaze*, puis il reviendrait jouer la pièce à Paris pendant un mois au Théâtre de Paris, et il serait facile de lui trouver un remplaçant lorsqu'il repartirait pour Nice, car ses nouvelles fonctions ne lui permettraient pas une trop longue absence.

Une telle proposition m'eût ébloui trois jours plus tôt : mais Léopold, à la dérobade, me faisait de petites grimaces, qui confirmaient mon opinion.

Je cherchais une formule élégante pour dire à

l'illustre comédien qu'une création en province ne me tentait guère, pas plus d'ailleurs qu'une reprise de trente jours à Paris, suivie d'un replâtrage avec une doublure; j'allais lui dire, pour commencer, qu'un acteur de génie, comme lui, serait sans aucun doute irremplaçable. Cet argument était bon, parce qu'il était aussi vrai que flatteur. Je n'eus pas besoin de m'en servir car un régisseur affolé parut sur la porte, et dit :

— Alerme est sorti de scène. Monsieur Max! Vous la loupez!

Le comédien se leva, dit : « Téléphonez-moi demain matin », et s'enfuit à grands pas.

En sortant du théâtre Léopold me dit :

— Ce n'est pas intéressant. Il vaut bien mieux Jouvet que tout le reste.

— Mais que dirais-tu de Victor Boucher, si la pièce lui plaisait?

— C'est un merveilleux comédien, dit Léopold... C'est à voir... Viens, on va boire le champagne chez Maxim's.

Nous y trouvâmes Yves Mirande qui finissait de dîner. Léo alla lui serrer la main, et me présenta.

— Asseyez-vous, dit Mirande, et prenez un verre avec moi. Par une charmante coïncidence, ce matin même, Quinson m'a parlé de vous.

— Je ne le connais pas.

— Je sais, mais vous avez envoyé quatre actes à Victor Boucher, qui est son associé à la Michodière. Victor veut jouer le rôle, qui lui plaît beaucoup. Quinson dit que la pièce est très belle, mais que c'est une pièce d'avant-garde qui ne ferait « pas un rond » au Boulevard, et il va vous proposer de l'arranger lui-même. Il est déjà plein d'idées...

Je sursautai, horrifié.

— Quoi?

Léo mit sa main sur mon épaule, et dit gentiment :

– C'est un enfant!

– Mon jeune ami, dit Mirande, il est bien rare que M. Quinson joue une pièce dans l'un de ses théâtres sans y mettre son grain de sel, ce qui entraîne automatiquement l'apposition de sa signature sur le bulletin de déclaration à la Société des Auteurs. Il en a déjà signé une soixantaine. Ce qui est grave, c'est qu'il ne le fait pas pour le seul amour de l'argent : il se croit auteur dramatique, et il travaille sérieusement pour ajouter à la pièce quelques répliques de sa façon, qu'il trouve comiques... Mais si vous n'avez pas d'autre théâtre, je vous conseille d'accepter. Il est tout prêt à vous signer le bulletin de réception.

Le lendemain je me reprochai, dès mon réveil, de n'avoir pas appelé Compère, pour lui apprendre que sa prédiction avait été vérifiée. Je montai donc chez Jacques, toujours absent, et comme il était encore trop tôt, j'avais emporté sous mon bras un annuaire, déjà ancien mais qui offrait dans ses premières pages les plans de tous les théâtres de Paris, avec l'histoire de leurs succès, et le nombre et le prix de leurs places.

J'étais en train de faire d'ignobles calculs sur leurs possibilités de recette lorsque le téléphone sonna. C'était Compère, qui me dit tout de go :

– Votre pièce plaît à Antoine. Il vous attend à 11 heures et demie, chez lui.

Encore une grande nouvelle!... Je racontai aussitôt à mon téléphone la surprenante journée de la veille, et j'énumérais complaisamment mes succès, lorsqu'une voix railleuse dit :

– Qui essaies-tu de bluffer?

Jacques, parfaitement nu, la chevelure hérissée, se dressait sur la porte du petit salon. Il était rentré dans la nuit, et la sonnerie du téléphone l'avait réveillé.

Je lui fis signe d'approcher, et je lui tendis l'autre récepteur, tout en continuant la glorieuse litanie.

— Ensuite, Darzens, qui m'attend pour dîner et pour signer le bulletin de réception. Enfin, je suis convoqué chez Gémier, pour demain après-midi.

J'entendis Compère éclater de rire, puis il me dit :

— Allez donc tout de suite raconter ces événements à Antoine, c'est lui qui vous donnera le meilleur conseil.

Après quelques mots de reconnaissance, je raccrochai, et Jacques, ravi mais un peu incrédule, me demanda : « C'est vrai? »

— Parfaitement vrai. *Monsieur Topaze* refusé par les Isola est reçu dans cinq théâtres!

Comme Célestine nous apportait le café, il fit un pas de côté, qui l'amena derrière un fauteuil, et ne fut plus qu'un torse présentable. Dès qu'elle fut sortie, il vint s'asseoir à table, et je lui racontai par le menu mes aventures des cinq derniers jours.

— Je suis écœuré, dit-il, de n'avoir pas été là. Je pense que tu dois passer chez Jouvet. C'est un grand metteur en scène, et un acteur admirable.

— Je suis absolument de ton avis, dis-je. J'irai le voir cet après-midi. Maintenant Antoine m'attend.

Je l'abandonnai, tout nu, sur sa chaise. Il avait allumé un cigare, et riait de plaisir.

Le cabinet de travail d'André Antoine était encombré de livres et de manuscrits. Il y en avait des piles contre les murs et sur le parquet.

Sur les rayons, de longues rangées de reliures, et plusieurs dizaines d'épais registres qui contenaient des coupures de presse.

Il était assis dans un fauteuil, pacifique et souriant, comme notre pape qu'il était.

Il me tendit la main, et dit :

— Vous avez écrit une bonne pièce. Oui. C'est du théâtre. Il y a là des personnages, et une action. Que comptez-vous en faire?

Je lui racontai ma merveilleuse aventure.

Il en parut étonné.

— Cinq théâtres! dit-il. Ils ne sont pas aussi bêtes que je le croyais. Avez-vous signé quelque chose?

— Non, pas encore, et c'est pourquoi je viens vous demander conseil.

— Eh bien, mon conseil, le voici : c'est une pièce pour les Variétés.

Je fus surpris de voir surgir un sixième théâtre.

— Je n'ai pas déposé de manuscrit aux Variétés.

— Je sais. Mais j'ai fait porter le mien à Max Maurey, qui est mon ami de toujours. J'attends sa réponse. Puisque vous êtes là, je vais lui téléphoner.

J'entendis la moitié d'une remarquable conversation :

— Ici Antoine. Bonjour, cher ami. Vous avez lu la pièce?

Il écouta longuement une réponse dont je cherchais en vain à lire le sens sur son visage.

Enfin, il dit :

— J'y crois absolument.

Il écouta de nouveau, en disant par intervalles :

— Oui.

—
. . . .

— Oui.

—
. . . .

— Là, je ne suis pas tout à fait d'accord. Enfin, c'est à voir.

—
. . . .

— A la rentrée, naturellement.

—
. . . .

— Oui, il est justement près de moi. Je vous

l'envoie. Vous allez à la générale de la Porte-Saint-Martin?

— . . . .

— Oui, c'est ce que je crains... Enfin, à ce soir.

Il raccrocha l'appareil.

— Max Maurey vous attend dans une heure, aux Variétés. Il aime la pièce, il la monte à la rentrée. Répétitions en septembre. C'est Lefaur qui jouera Topaze.

Je fus un peu surpris. J'admirais Lefaur, mais je l'avais toujours vu dans des rôles de vieux messieurs d'une grande distinction. Antoine devina ma pensée.

— Vous avez quelque chose contre Lefaur?

— C'est-à-dire qu'il n'est peut-être pas assez jeune... Pour que l'histoire soit vraisemblable, il faut que Topaze soit un très jeune homme... Trente ans au plus. S'il enseigne depuis vingt ans chez M. Muche, et s'il n'a jamais compris que M. le directeur est un marchand de soupe de troisième ordre et un hypocrite, c'est un niais, qui n'en sortira jamais. D'autre part, pour qu'il soit si aisément dupé par une coquette professionnelle, il faut qu'il soit presque vierge. Enfin, il ne sera pas transformé par cet amour en un redoutable homme d'affaires, parce qu'il n'aura plus la naïveté, ni la fraîcheur, ni l'agressivité de la jeunesse.

— Vous avez raison, dit le vieux maître. Si nous avions un Lefaur de vingt-cinq ans, c'est lui que je choisirais peut-être. Toutefois je n'en suis pas sûr. Lefaur lui-même, à vingt-cinq ans, ne savait pas ce qu'il sait aujourd'hui, et n'était peut-être pas capable de jouer ce rôle, qui est écrasant. Il ne sort de scène que trois fois dans toute la soirée, et pour 15 à 20 minutes en tout. Croyez-moi, il vous faut un comédien chevronné. D'autre part, en scène, Lefaur n'aura pas cinquante ans : quarante tout au plus.

D'ailleurs, le public donne au comédien l'âge des sentiments qu'il exprime, s'il les exprime bien. Dans la vie, on dit parfois : « Il est vieux, mais il a le cœur d'un jeune homme, un cœur de vingt ans. » Personne n'y croit, cela fait sourire. Sur la scène, tout le monde y croit, parce qu'ils sont venus pour croire. De plus, Lefaur est l'acteur le plus intelligent, le plus spirituel que j'aie jamais vu. Depuis vingt ans, chaque fois qu'il a joué un rôle dans une pièce (jamais le rôle principal), la critique unanime a écrit : « Quand verrons-nous Lefaur, le premier comédien de Paris, dans le premier rôle d'une pièce? » Ce rôle, vous l'avez écrit. En lisant votre texte, j'entendais sa voix. Croyez-moi : c'est une grande chance pour lui, et une grande chance pour vous.

Je l'écoutais, ému de reconnaissance, d'admiration, de respect, d'affection.

Il poursuivit :

– Maurey va vouloir vous imposer Pauley, parce qu'il l'a dans sa troupe : c'est un très bon comique de vaudeville. Mais les auteurs, le directeur et sans doute lui-même ont abusé de son obésité... Pour le faire entrer en scène, on ouvre la porte à deux battants. Pour le faire asseoir, on lui offre deux chaises. Quand il n'en prend qu'une, le public commence à rire, car il sait qu'elle va s'effondrer. Si Maurey lui confie le rôle du conseiller municipal, ce sera un festival de pitreries. Veillez de ce côté-là : je vous aiderai. Allez donc voir Maurey, et téléphonez-moi.

J'étais au comble de la joie, mais toutefois un peu inquiet.

– Que vais-je dire aux directeurs qui ne m'avaient rien demandé, à qui j'ai offert ma pièce, et qui l'ont reçue?

Antoine haussa les épaules.

– Il est bien plus facile de leur reprendre une

comédie que de la leur imposer. Dites-leur que c'est Max Maurey qui l'a reçue le premier!

Max Maurey, à cette époque, n'avait pas encore soixante ans : il était né dans la maison qui fait l'angle de la rue Vivienne et de la galerie des Variétés, tout près du célèbre théâtre où il devait finir sa vie.

Reçu en même temps à l'Ecole des Mines et à l'Ecole centrale, il opta pour Centrale (d'où venait de sortir son aîné Maurice Donnay) puis, pour ses débuts d'ingénieur, il participa longuement à la construction de la voie ferrée du Sud-France, à travers les montagnes des Alpes-Maritimes. Cependant, les tunnels, les viaducs et les passages à niveau n'étaient pas les seules amours du jeune ingénieur. Je ne veux pas dire qu'il ne s'y intéressât point. Je suis persuadé au contraire qu'il traça les courbes d'une main assurée, calcula les pentes au centimètre près et vérifia chaque tire-fond de son secteur, car il était méticuleusement précis, et se méfiait de tout, même de ses propres opinions. Mais – comme Maurice Donnay – il avait écrit la revue de fin d'année de l'Ecole centrale, et il avait entendu les rires soulevés par ses traits d'esprit. C'est une expérience qui peut transformer un mathématicien en chansonnier, et parfois en auteur dramatique.

C'est pourquoi, après le départ solennel du premier convoi, Max Maurey revint à Paris, devint « courriériste » au *Gil Blas*, puis rédacteur à *L'Evénement*, et joua dès lors un petit rôle dans la vie parisienne.

Il le joua si bien qu'il dut se battre en duel contre Alphonse Franck, chroniqueur et revuiste comme lui. C'était alors un événement très parisien, mais dont le dénouement aurait pu être une messe funèbre... Les deux combattants survécurent à l'épreuve et devinrent si bons amis qu'ils fondèrent ensemble le Théâtre des Capucines.

Max Maurey avait dû remarquer que le nombre de places ne dépassait pas le quarante et unième nombre premier, qui est 199 : en véritable mathématicien, comme il ne pouvait tripler ce nombre, qui correspondait à une surface limitée par des murs, il décida de tripler le prix des fauteuils, qui est une notion abstraite et n'a pour limite que l'infini : ce théâtre devint assez vite la salle la plus « chic » de Paris, on disait même « copurchic ». Malgré le succès, Max Maurey quitta bientôt son ami Franck (peut-être pour éviter un second duel), et il prit la direction du Grand-Guignol, où il créa un genre qui devait triompher pendant des années, c'est-à-dire jusqu'à nos jours.

Le spectacle du petit théâtre était toujours composé de quatre pièces en un acte. La première et la troisième étaient horrifiantes, l'ingénue ou le jeune premier subissaient les pires tortures, et celui ou celle à qui le fou ou le sadique n'arrachait qu'un œil s'en tirait vraiment à bon compte.

Certains spectateurs prenaient la fuite; d'autres, parfois, s'évanouissaient dans leur fauteuil.

Cependant, pour éclairer la soirée, et donner aux personnes sensibles le temps de reprendre leurs esprits, la seconde et la dernière pièce étaient des comédies en un acte, d'une gaieté merveilleusement réconfortante.

C'est dans ce genre illustré par Courteline que Max Maurey nous a donné quelques petits chefs-d'œuvre qui méritent de figurer à côté de ceux de son grand aîné, et qui n'ont jamais quitté la scène : *Asile de nuit*, que Signoret joua pendant des années, *Le Chauffeur, Le Pharmacien, Rosalie, Le Bonheur retrouvé, Le Stradivarius*. Les compagnies d'amateurs les jouent encore aussi souvent que *La Peur des*

coups, Le Gendarme est sans pitié, La Paix chez soi
ou *L'Article 330*, et plusieurs de ces ouvrages de
Max Maurey sont au répertoire de la Comédie-
Française.

C'est en 1915 qu'il succéda à Samuel le Magnifique dans le fauteuil directorial du Théâtre des Variétés, qui était l'un des plus brillants de Paris : il y joua
Maurice Donnay, Henry Duvernois, de Flers et
Caillavet, Francis de Croisset, Reynaldo Hahn,
Sacha Guitry... C'étaient des noms prestigieux : c'est
avec une véritable émotion que j'entrai pour la
première fois dans le bureau directorial.

Par superstition plutôt que par avarice, on n'avait
rien changé dans la petite pièce carrée, assez faiblement éclairée par le jour blafard d'une cour. Les
fauteuils offerts aux visiteurs étaient plutôt durs,
mais je pensai qu'ils avaient supporté le poids – si
agréablement réparti – des plus belles comédiennes
de la grande époque : Lantelme, Diéterle, Lavallière,
Jeanne Granier.

Ce bureau vénérable, Brasseur, Baron, Guy
l'avaient frappé du poing en même temps que
Samuel le Magnifique. Capus, Sardou avaient sans
doute trempé leur plume dans cet encrier pour signer
leur contrat... J'étais aussi ému qu'un jeune prêtre au
jour de sa première messe, mais Max Maurey quitta
son fauteuil pour venir à ma rencontre me serrer la
main en souriant.

– Vous avez conquis mon ami Antoine, me dit-il.
C'est pour votre pièce un atout de première importance, car il a une très grande influence, non seulement sur le public, mais sur la critique elle-même. De
plus, son jugement est très sûr en ce qui concerne la
valeur d'un ouvrage de théâtre. En ce qui concerne le
succès qu'elle peut avoir, il s'est parfois trompé. Sur

ce chapitre, ce n'est ni lui ni moi qui décidons : c'est le public! Enfin, votre pièce lui plaît, et je suis tout prêt à tenter l'aventure.

J'eus l'impression qu'à ses yeux l'opinion d'Antoine faisait les trois quarts de mon mérite.

— J'ai donc décidé de jouer *Monsieur Topaze* en octobre, pour la rentrée. Nous répéterons donc en septembre, avec la troupe des Variétés, bien entendu. Vous connaissez Lefaur?

Il me répéta, presque mot pour mot, ce que m'avait dit Antoine. Puis nous parlâmes de Pauley.

— Je sais, dit mon subtil directeur, qu'Antoine ne l'aime pas, et il a dû vous le dire. A mon avis, il se trompe. Vous le verrez aux répétitions. Si vous êtes de l'avis d'Antoine, nous le remplacerons... Maintenant, parlons de M. Muche, le directeur de la pension. Est-ce que Marcel Vallée vous fait rire?

— Oh oui! dis-je. C'est un acteur que j'aime beaucoup.

— Moi aussi. Certains critiques ne sont pas de notre avis, et trouvent qu'il « en fait trop ». C'est peut-être un peu vrai... En tout cas, je ris aux larmes lorsqu'il se met en colère, sur la scène ou dans la vie, car c'est une soupe au lait. Il ne fait pas partie de la troupe, mais en le convoquant dès aujourd'hui, il sera sans doute libre en septembre...

Il ouvrit quelques dossiers.

— Il a joué chez nous, il y a deux ans... Il avait 175 francs par jour. Je pense qu'il ne se fâchera pas, selon son habitude, si je lui en offre 250.

Il me parla ensuite de Jane Renouardt, qui était idéale pour ce rôle; elle y apporterait sa délicate beauté, son élégance parisienne, et de plus son habitude des affaires, car elle dirigeait un théâtre avec une parfaite maîtrise, et les contrats qu'elle rédigeait étaient si bien faits que ses amis l'appelaient le Petit Notaire.

Cette conversation dura jusqu'au soir, et je rentrai chez moi ébloui : ma pièce était reçue aux Variétés, la mise en œuvre commencée. J'en avais discuté la distribution avec Max Maurey lui-même, assis en face de lui, comme jadis Maurice Donnay ou Robert de Flers : j'étais le plus heureux des hommes.

Le lendemain à 3 heures, j'étais encore dans ce bureau, Maurey venait de me faire signer le glorieux bulletin de réception, qu'il mit sous clef dans son tiroir, puis en attendant la visite de Marcel Vallée, nous examinâmes les esquisses de décors que nous présentait Saint-Paul, le directeur de la scène, qui devait diriger les répétitions.

Le garçon de bureau entrouvrit la porte. Saint-Paul sortit. Marcel Vallée entra.

Tout rond, l'œil brillant, avec l'autorité d'un « grand premier comique » il nous salua d'un feutre noir et serra la main de Max Maurey, qui me présenta, puis nous fit asseoir, et reprit le fauteuil directorial.

Il raconta fort exactement la pièce, en insistant sur le rôle de M. Muche et sur ses éblouissantes colères. Vallée écoutait, charmé, avec un grand sourire. A la fin, il dit, en souriant toujours :

– Evidemment, c'est parfait pour moi. Mais j'ai l'impression que vous me faites exagérer l'importance du rôle pour obtenir des concessions sur mon cachet.

Et il me fit un clin d'œil, en désignant Max Maurey d'un petit coup de menton.

Le directeur prit un air étonné :

– Qui vous parle de « concessions »? Que voulez-vous dire?

Vallée se leva, son chapeau à la main, et s'écria :

– Oh! Je connais les directeurs! Quand on

demande un cachet raisonnable, il semble qu'on leur arrache le cœur! Alors, avant de parler du rôle, parlons d'argent!

– Eh bien, dit Max Maurey, vous vous souvenez de vos cachets, il y a deux ans?

Le comédien rougit, ses narines se dilatèrent.

– J'en étais sûr! Je vous attendais là! Oui, 175 francs! Je le reconnais, je l'avoue!

– Avouez aussi que vous en étiez très content.

– Content, oui, mais pas très. Tout juste content. Mais...

Il se tourna vers moi.

– Mais c'était il y a DEUX ANS! Et en ces deux ans, j'ai eu des succès personnels importants. Oui, monsieur, et si je dis importants, c'est par modestie. Sur l'affiche, au-dessus du titre. Alors, pour 175 francs, je ne marche plus, et j'exige DEUX CENTS francs. C'est à prendre ou à laisser!

Maurey me regarda, fit un sourire mystérieux, et ne répondit rien.

Vallée se tourna vers moi, le visage subitement enflé de colère, et déclara :

– Il ne me les donnera pas, et c'est pourquoi je n'aurai pas le plaisir de jouer votre pièce. Messieurs, je vous salue.

Il enfonça son feutre sur sa tête, et tourna les talons. Max Maurey lui laissa faire deux pas, et dit :

– Laissez-moi au moins le temps de répondre! J'avoue que je n'avais pas songé à vous offrir 200 francs, mais je ne vous les refuse pas.

Le comédien, qui serrait déjà le bouton de la porte, se tourna vers nous par une pirouette, avec un sourire de triomphe.

– C'est sérieux?

– Très sérieux, dit Max Maurey.

– Alors, signons immédiatement.

Il revint d'un pas décidé vers le bureau directorial. Maurey avait ouvert un dossier et, examinait le contrat.

– Accordez-moi trente secondes, dit-il. Le temps de changer les chiffres du cachet.

Il plongea sa plume dans l'encrier. Vallée me fit un clin d'œil, avec un petit ricanement joyeux.

– On me reproche parfois d'être un rouspéteur, dit-il. C'est un peu vrai. Mais vous avez vu vous-même, de vos yeux VU, ce qui vient de se passer! Si je m'étais laissé faire, il ne m'aurait pas donné 200 francs.

– Certainement pas, dit Maurey, tout en balançant sur sa signature un tampon buvard basculant. Tenez, signez à votre tour.

Vallée ôta son chapeau, qu'il posa sur une chaise, se gratta les mains, prit la plume que Max Maurey lui tendait et signa.

– Il faut aussi parapher le changement de cachet, à l'avant-derrière page, dit Maurey.

Vallée me fit un nouveau clin d'œil, et dit :

– C'est le plus important.

Il chercha la page et la regarda un instant. Max Maurey avait écrit en marge : « Je dis deux cents francs », et il avait rayé « deux cent cinquante » d'un trait assez léger, afin que Vallée pût lire aisément la douloureuse inscription.

Le comédien se frotta soudain les yeux avec sa manche, éloigna le contrat, le rapprocha, et cria :

– C'est pas vrai! C'est une blague!

– Eh oui, dit Maurey, mais c'est vous qui en êtes l'auteur. Je la trouve pour ma part excellente.

Vallée, désemparé, hocha trois fois la tête, me fit un regard angoissé, puis sur le ton d'un appel pathétique :

– Monsieur Maurey, vous êtes un grand directeur.

126

– Oui, dit Maurey.

– Et un grand honnête homme.

– Certainement.

– Eh bien, puisque vous avez estimé que mon talent vaut 250 francs vous DEVEZ me les donner.

– Pas du tout. J'avais fait cette estimation un peu au hasard; mais vous-même, vous avez établi votre jugement sur une connaissance exacte de vos mérites, et vous êtes venu, les poings tout faits, pour m'affirmer que vous valez deux cents francs. Je me garderai bien de vous démentir...

Marcel Vallée se mit à suer à grosses gouttes, son nez prit la couleur d'une aubergine. Maurey, craignant une apoplexie, ajouta aussitôt :

– Mais je me réserve, si la pièce est un succès, de vous accorder une prime de cinquante francs par jour.

Il me fallut expliquer ma décision aux directeurs de théâtre qui avaient bien voulu recevoir ma pièce. Gémier, que je ne connaissais pas, me fit, grâce à Paul Abram, un accueil amical, et me dit bien des choses fort plaisantes à entendre. Darzens commença par des protestations indignées, puis il fit une concession :

– Le salaud dans cette affaire, ce n'est pas toi. C'est Antoine, qui m'a trahi. Un ami de trente ans!

Il plongea le bras sous son bureau, et en sortit à pleine main un beau hareng tout brillant d'huile qu'il mangea tout en parlant.

– Finalement, dit-il, tu n'as pas tort. Le maximum de mon théâtre, c'est 6 000. Aux Variétés, on peut faire 30 000.

Cette considération sordide ne me déplut pas.

Jouvet, tout en étalant le fond de teint sur son visage, et faisant des grimaces devant son miroir, prit un ton sarcastique :

– Bravo! Très bien! Tu ne me surprends pas. J'avais toujours pensé que tu finirais par le Boulevard, et je constate que c'est par là que tu commences... D'ailleurs mon programme est très chargé, et je n'aurais pas pu te jouer avant un an...

Quinson, sans doute averti par Mirande, renonça à me convoquer, et Max Dearly ne répondit pas à ma lettre d'excuses; j'eus le plaisir d'en envoyer une autre aux frères Isola, pour leur dire que j'étais désolé de leur refus, mais que par chance *Monsieur Topaze* serait joué aux Variétés à la rentrée.

Pendant quelques semaines, je promenai dans le monde du théâtre, avec une fausse modestie visible, le personnage du jeune auteur qui a une pièce reçue aux Variétés. Les journalistes venaient m'interroger à domicile, les agents dramatiques étrangers me proposaient des contrats, les comédiens arrivés me tutoyaient à première vue, les ingénues me trouvaient beau... J'entendis pourtant un jour quelques paroles désagréables, qui confirmèrent, en l'aggravant, le petit ricanement de Jouvet.

Vers les 11 heures du soir, je sortais d'un petit restaurant de la rue de Grenelle, lorsque je reconnus Gaston Baty, qui passait solitaire sous un grand feutre noir. René Simon m'avait présenté dans les coulisses du petit Studio des Champs-Elysées, que Baty dirigeait avec un grand succès, et il m'avait parfois parlé avec une vraie sympathie.

C'était un homme d'une grande culture, d'une urbanité parfaite, d'un désintéressement total. Il posa sa main sur mon épaule, me regarda dans les yeux avec un gentil sourire, et dit : « Quel dommage! Comme c'est regrettable! »

– Quoi donc?

– Vous avez une pièce reçue aux Variétés, à ce que l'on m'a dit?

– Oui. Elle passera à la rentrée.

– Et elle aura du succès, hélas!... Vous êtes perdu pour le théâtre; je vous le dis honnêtement. Vous roulez à l'égout, et j'en suis navré... Quel dommage!...

Il parlait, comme toujours, avec une entière sincérité.

Je lui répondis avec une sincérité égale que je ne voyais pas pourquoi il serait déshonorant d'obtenir un succès sur l'une des premières scènes de Paris. Sans mot dire, il leva les yeux au ciel, hocha discrètement la tête trois fois dans le plan vertical puis trois fois dans le plan horizontal, me tourna le dos, et s'éloigna dans la nuit.

Le mépris de Baty, s'il me fit un peu de peine, ne me causa aucune inquiétude. Je connaissais l'intransigeance de ses théories, qui devaient le conduire à remplacer les répliques importantes par des silences éloquents et les comédiens par des marionnettes.

Je continuai donc à rouler joyeusement « vers l'égout », en allant chaque soir aux Variétés, où l'on jouait alors une petite comédie du Boulevard.

On était à la fin de la saison, les spectateurs n'étaient pas très nombreux et la pièce n'était pas un chef-d'œuvre de l'art dramatique; mais j'y allais surtout pour voir mes futurs interprètes, et faire plus ample connaissance avec eux. A la fin du spectacle, j'allais souper avec Lefaur, d'autres fois avec Pauley. Nous parlions de *Topaze*, et nous fûmes très vite des amis.

Lefaur était, plutôt qu'un acteur, un grand comédien, et un comédien spirituel. Son aisance en scène était si grande, son naturel si parfait, que dès son entrée, on croyait à la réalité du personnage, et ses

« effets » étaient posés avec une discrétion et un tact qui en décuplaient la puissance. Sa conversation était des plus agréables, car il avait tout lu, il avait tout vu, et il exécutait un imbécile ou un fat en quelques mots. Il était enchanté de son rôle, et la seule parole de regret qu'il me dit un soir, avec un peu de mélancolie, fut celle que j'attendais.

– Si tu m'avais donné ce rôle quand j'avais vingt-cinq ans, j'aurais été célèbre du jour au lendemain. Aujourd'hui je suis un peu trop vieux, mais ne crains rien. Je connais mon affaire, et je te réponds du succès.

Pauley, qui n'était pas très grand, portait sur des jambes courtes une rotondité prodigieuse. Parce qu'on l'accusait de trop jouer de cet embonpoint, il était allé souvent faire des cures dans une station italienne, dont l'eau minérale avait la réputation de fondre les obèses. Là, purgé trois fois par jour, nourri de promesses et de queues de poireau, abreuvé de tisanes dévastatrices, il s'affaiblissait au point de n'avoir plus qu'une voix de mirliton, et perdait quarante livres, qu'il récupérait ensuite en huit jours. Il y avait renoncé, tout en reconnaissant l'efficacité du traitement, et il me dit : « C'est vrai que je perds quarante livres; mais c'est comme si je les déposais chez le concierge pour les reprendre à la sortie. »

Malgré son poids, qu'il ne m'avoua jamais, mais qui dépassait certainement cent vingt kilos, il était d'une élégance recherchée, et dansait avec beaucoup de grâce. C'était un bon compagnon, d'une sensibilité inattendue, mais qui aimait rire et plaisanter.

Un soir nous venions de quitter le théâtre après la représentation et nous marchions le long du passage des Panoramas.

Max Maurey était sorti le premier et il marchait devant nous, réfléchissant à quelque problème, car un directeur de théâtre doit en résoudre au moins un par jour. Selon son habitude il balançait son bras gauche comme un pendule, pendant que du bout de son index droit, il tapotait rapidement sa petite moustache.

Pauley, qui le suivait à deux pas avec moi, en fit aussitôt une imitation si réussie et si plaisante que je ne pus m'empêcher d'en rire sans bruit; deux ou trois passants, qui nous suivaient, firent à leur tour de petits éclats de rire. Max Maurey, perdu dans ses pensées, n'entendit rien et ne se retourna pas, tandis que Pauley poursuivait sa comédie jusqu'au bout du passage, et notre directeur se perdit dans la foule. Le lecteur comprendra plus loin pourquoi j'ai rapporté ici cet épisode modestement comique, mais dont les conséquences le furent bien davantage.

Cependant, le mois de juin venait de finir. Un matin, au petit déjeuner, nous lisions les journaux comme d'ordinaire. Jacques dit soudain :

– Ha! ha! Voici que le serpent de mer reparaît dans ses gîtes préférés, qui sont la baie d'Along et la deuxième page du *Petit Parisien*. Il nous annonce que les théâtres vont fermer, et que les ingénues vont partir en vacances avec les messieurs qui possèdent des automobiles. D'autre part, tu maigris, et je me flétris. Nous allons donc tout à l'heure prendre la route qui conduit à la Beaumetanne, sur les bords de l'étang de Berre : mon frère y soigne nos vignobles du Royal Provence. Va faire ta valise. La voiture est prête, et le temps est beau.

Après deux mois de travaux champêtres, et de discussions sous les platanes, devant la vaste ferme provençale, je retrouvai mon directeur aux premiers jours de septembre.

Parfaitement frais et dispos, il m'annonça que les

répétitions commenceraient dans la semaine. Je lui fis part de quelques changements à ma pièce : il les approuva, puis me montra contre le mur l'affiche que je n'avais pas encore remarquée. *Monsieur Topaze.* Il me sembla que ce titre était trop long. Je dis aussitôt :

– Il faut supprimer *Monsieur.*

– J'y avais pensé, me dit-il. Mais comment saura-t-on que *Topaze* est le nom d'un personnage?

– Et *Knock*? Il me semble excellent qu'un titre soit court et mystérieux.

– D'accord, mais vous auriez pu y penser plus tôt!

Lefaur, que Maurey avait convoqué, vint prendre part à la conversation. Il avait étudié la pièce pendant les vacances. Il en parla longuement, avec une intelligence et une science qui m'inspirèrent de grands espoirs; puis, comme nous parlions de la distribution, notre directeur, caressant sa moustache du bout de l'index, nous dit :

– J'ai eu l'imprudence, pour faire plaisir à nos amis de *Comœdia* et pour augmenter l'attrait de leur grand concours de comédiens amateurs, d'offrir, comme premier prix, un petit rôle aux Variétés. Il va donc falloir avaler ce lauréat, que je n'ai jamais vu. C'est, me dit-on, un fabricant de jouets. On me dit aussi qu'il a tenu honorablement de petits rôles sur la scène de la Comédie-Mondaine, mais je me demande ce qu'il va faire dans une troupe comme la nôtre.

– Ma foi, dit Lefaur, on peut toujours lui donner le rôle de M. Le Ribouchon.

– Qu'est-ce que c'est que ça? dit Max Maurey.

– C'est le pion qui paraît au premier acte, entrouvre la porte de la classe, et dit : « Je vais prévenir M. le directeur. » Après quoi, on ne le revoit plus. Même s'il bafouille, la pièce n'en souffrira pas.

– D'accord. Maintenant, je dois vous avouer que je suis un peu inquiet : Mme Jane Renouardt m'a téléphoné ce matin. Elle nous lâche, car elle va jouer dans son théâtre, en novembre, le rôle principal d'une comédie nouvelle... Qui peut la remplacer chez nous? J'ai pensé à Mlle X... Qu'en dites-vous?

– Elle est bigle, di Lefaur.

– De la salle, ça ne se voit pas.

– D'accord. Mais moi je la verrai de près, et ça me trouble. J'en perds mon texte.

– Alors, Mlle Y...?

– Si elle n'est pas morte, elle a cent ans.

– Mettons soixante, et n'en parlons plus. Et que diriez-vous de Mlle Z...? Elle est intelligente, adroite, et elle a de l'autorité.

– Oui, dit Lefaur, mais elle a des épaules carrées, comme les gendarmes. N'oublions pas que c'est le rôle d'une femme entretenue. Le public admettra difficilement qu'un conseiller municipal entretienne un gendarme en robe du soir... Moi, elle me fait peur...

Il exécuta ainsi encore cinq ou six candidates, lorsque je pensai tout à coup à une très belle comédienne, qui avait débuté à la Comédie-Française; je l'avais vue à Marseille, dans une grande tournée dont elle était la vedette.

– Et Jeanne Provost?

Lefaur réfléchit quelques secondes.

– Ah oui! dit-il. Jeanne Provost, oui. Elle est belle, et c'est une des rares comédiennes qui savent prendre l'air de comprendre ce qu'on leur dit et même ce qu'elles disent.

– Et elle est très élégante, dit Saint-Paul. Je la vois très bien dans le rôle. Et certainement, elle fournirait ses toilettes!

Le directeur fut charmé par cet argument supplémentaire.

– C'est une idée, dit-il. Mais je crains que la chose ne l'intéresse pas. On dit qu'elle a fait un très beau mariage, et qu'elle voyage beaucoup. Elle va souvent jouer la comédie, pour se distraire, au Canada, ou dans les Amériques, ou au Japon. Enfin, téléphonez-lui tout de même. Il y a neuf chances sur dix pour qu'elle triomphe en ce moment à Pékin ou à Santiago. Essayons, et nous saurons si les dieux sont avec nous.

Oui, les dieux étaient avec nous, car par miracle elle était chez elle, tout à fait disposée à prendre six mois de vacances. Mais une comédienne ne refuse jamais un premier rôle à Paris; deux heures plus tard, elle arrivait au théâtre, belle, souriante, distinguée.

– Je crois, dit Max Maurey, que le rôle est tout à fait dans vos cordes. La seule petite ombre au tableau, c'est que vous êtes un peu trop distinguée... Cela ne s'acquiert, ni ne se perd.

– Cela se perd aisément, dit-elle. Il n'y a qu'à l'exagérer.

Lefaur parut enchanté par cette réponse, et me fit un clin d'œil d'approbation.

– Bien, dit notre directeur. Maintenant, messieurs, laissez-moi seul avec Madame, car nous allons parler d'argent.

Nous sortîmes.

– C'est une affaire faite, dit Saint-Paul. Je vais l'ajouter tout de suite au billet de service de la première répétition.

Tout allait bien, mais j'avais peur. Je savais que je jouais une partie décisive. Je relisais *Topaze* tous les soirs, je faisais des coupures, j'ajoutais fébrilement des répliques : par bonheur, Jacques m'arracha le manuscrit des mains, et me fit défense d'y toucher avant d'avoir vu et entendu mon texte sur la scène.

A la veille de la première répétition, vers 3 heures de l'après-midi, pendant que je rédigeais un article d'avant-première pour *Comœdia*, Pauley m'appela au téléphone. Sa voix tremblait et il bégayait.

— Viens vite, me dit-il, viens vite! Maurey me refuse le rôle, et il est en train d'engager une rondeur! Viens vite!

— Où es-tu?

— Au théâtre, dans le couloir de l'orchestre. Je suis désespéré. Viens vite!

J'entrai par la façade du théâtre désert, et je le trouvai dans la pénombre adossé au mur. Il tamponnait ses yeux avec un mouchoir blanc.

— Qu'est-ce que c'est que cette histoire? Le patron t'a retiré le rôle?

— Il ne me l'a pas retiré, mais il ne m'a pas dit qu'il me le confiait.

— Il n'a pas à te le dire, parce que cela va de soi. Tu fais partie de la troupe depuis des années, et c'est ton emploi! Est-ce qu'il t'a dit que tu ne le jouerais pas?

— Non, pas encore, parce que c'est un sadique... N'oublie pas qu'il a inventé le Grand-Guignol! Il m'a convoqué aujourd'hui pour 3 heures. J'arrive à moins dix, et dans la salle d'attente, qu'est-ce que je vois? Trois rondeurs, trois cabots de tournées plus gros que moi, qu'il a convoqués pour la même heure! Il a voulu que je les voie, pour me préparer... Et eux, dès qu'ils me voient, ils éclatent de rire tous les trois à la fois. Oui, ils m'ont ri au nez — et le plus gros, un monstre, a failli s'étouffer! Tu penses bien que j'allais leur dire deux mots. Mais Maurey ouvrit la porte de son bureau, et il me dit : « Mon cher Pauley, excusez-moi, je dois d'abord recevoir ces trois messieurs l'un après l'autre. Revenez dans une demi-heure. J'ai à vous parler sérieusement. » Et là-dessus, il fait entrer le monstre!

– Ce n'est certainement pas pour jouer ton rôle, puisqu'il m'a dit, à moi, que tu serais parfait!

– Attends. Tu ne sais pas tout. Je vais faire un tour dans ma loge, et au passage, je vois le billet de service pour la première répétition. Tout le monde est convoqué, sauf moi! Qu'est-ce que tu en dis?

– C'est un oubli. As-tu demandé à Saint-Paul?

– Attends! Je descends à la régie, et je dis à Saint-Paul : « Tu m'as oublié sur le billet de service? » Il me dit : « Non. C'est le patron qui a fait la liste, et tu n'y es pas. Mais je vais te donner ta brochure. » Il en avait sept ou huit sur son bureau, avec les noms des acteurs sur la couverture. Ecrits de la main du patron! « Le tien n'y est pas! – Pourquoi? – Je n'en sais rien. C'est lui qui me les a donnés. Il y en avait sept, et les voilà. » Alors, j'ai compris. Le rôle de ma vie, il me le refuse, et il va sans doute me prêter à une tournée Karsenty... Va, cette catastrophe, je sais d'où ça vient... C'est Antoine qui lui a envoyé ta pièce, et Antoine ne m'aime pas... Mais toi, est-ce que tu ne peux pas faire quelque chose pour moi?

– Certainement! Viens, je vais lui demander ce qui se passe.

Il me suivit, les yeux mouillés de larmes.

Nous rencontrâmes dans l'escalier un homme énorme qui s'en allait souriant; au passage, il souleva son feutre noir à larges bords : Pauley répondit à ce salut par un regard farouche, et chuchota :

– Il a un manuscrit sous le bras!

C'était vrai, et je ne sus que penser.

Dans la salle d'attente, il n'y avait personne, mais nous entendîmes des voix dans le bureau directorial.

Au bout de quelques minutes, la porte s'ouvrit, et un autre obèse, à la face rubiconde, en sortit. Maurey, qui l'avait reconduit, lui serra la main, en disant à haute voix :

— C'est d'accord. Il ne vous reste qu'à étudier le manuscrit, car votre rôle, en cette affaire, est très important.

— Mon cher directeur, répondit le gros homme, je vais lire la pièce minutieusement, et je vous promets de faire de mon mieux!

Il avait, lui aussi, un manuscrit sous le bras, et nous salua d'un sourire au passage.

— Entrez donc! me dit aimablement Max Maurey. Je n'attendais que Pauley, mais vous êtes le bienvenu!

Nous entrâmes. Il prit place à son bureau, et ouvrit des yeux étonnés en voyant la face de Pauley, blême et brillante de sueur.

— Qu'y a-t-il, Pauley? Vous êtes malade?

— Oui, monsieur, je suis malade de ne pas jouer ce rôle, qui m'aurait permis de prouver à M. Antoine que je ne suis pas un pitre. Je sais qu'il a toujours admiré les rondeurs des théâtres de quartier, et qu'il les préfère aux véritables comédiens du Boulevard : j'espère que vous n'aurez pas à me regretter.

Maurey tapota sa moustache du bout de l'index.

— Je ne comprends pas très bien. Qui vous a dit que vous ne joueriez pas le rôle?

— On n'a pas eu besoin de me le dire. On me l'a fait suffisamment comprendre.

— Et comment?

— D'abord, je ne suis pas au billet de service pour la répétition de mardi.

— C'est exact. Et ensuite?

— Ensuite, Saint-Paul a des manuscrits pour toute la troupe, sauf pour moi.

— C'est également exact. Et puis?

– Et puis vous avez convoqué aujourd'hui trois rondeurs, trois bedaines qui remplissaient la salle d'attente, et qui ont ricané en me voyant! Je sais que vous leur avez donné des manuscrits. Et moi, vous allez sans doute me prêter à Karsenty, qui vous l'a demandé : c'est votre droit, évidemment. Mais je vous assure que ce rôle... je l'aurais bien joué...

Il se leva, désespéré.

– Si vous n'avez rien signé, monsieur Maurey, faites-moi confiance : c'est la chance de ma vie!

Il était pathétique, des larmes brillaient dans ses yeux.

– Mon cher Pauley, dit Maurey, vous êtes un enfant, et je vois qu'il faut des explications : je suis en mesure de vous les donner. Ces trois « bedaines », comme vous dites, ont été réunies aujourd'hui par hasard, et pour des raisons qui ne sont pas celles que vous croyez. Si ces bedaines ont tressauté de rire en vous voyant, c'est à cause de l'étrangeté de la rencontre d'un pareil quatuor, et les deux premières avaient déjà ri, de fort bonne humeur, à l'arrivée de la troisième. En réalité l'important personnage que vous avez vu sortir de mon bureau avec un manuscrit sous le bras est un « ensemblier », qui va meubler nos décors modernes des trois derniers actes. Le second est un comédien, qui va jouer dans l'un de mes ouvrages au Grand-Guignol, et le troisième à qui j'ai aussi donné un manuscrit de notre pièce est en effet une découverte de notre ami Antoine et il est exact qu'il jouera le rôle du conseiller municipal, et il le jouera fort bien, car c'est un excellent acteur...

– Ah! gémit Pauley, je le savais!

– Laissez-moi donc parler! Il le jouera. Si la grippe nous prive un soir de votre talent : c'est votre doublure, et il a l'intention de vous demander des conseils. Enfin, si vous aviez lu le billet de service plus attentivement, vous auriez vu qu'il s'agit de répéter le premier acte dans lequel vous ne paraissez pas. C'est pourquoi d'ailleurs — comme nous n'avions pas hier assez de textes, je les ai réservés aux comédiens de ce premier acte, car vous ne répéterez que la semaine prochaine : mais une seconde édition est arrivée ce matin et voici votre exemplaire.

Il lui tendit l'épais cahier rouge. Pauley, tremblant d'émotion, le serra sur son cœur, et poussa un énorme soupir.

— Je suis persuadé, dis-je, que Pauley sera une révélation. C'est d'ailleurs l'avis de Lefaur.

— Et c'est aussi le mien! dit Max Maurey. Malgré Antoine, je n'ai jamais pensé à confier ce rôle à un autre que lui!

Il se tourna vers Pauley, qui était sur le point de pleurer de joie, et distilla le discours suivant :

— Je vous crois d'autant plus capable de le jouer que je vous trouve très en progrès. Vous avez été excellent dans la pièce de Verneuil, et, l'été dernier, une nuit, après le spectacle, en descendant le passage des Panoramas, vous vous êtes amusé à imiter ma démarche. Oui, je vous voyais dans les vitrines des boutiques. Nous étions fort bien éclairés, les vitrines étaient noires, et nos images étaient aussi nettes que sur un écran de cinéma. Eh bien, cette imitation, cette parodie, était parfaite, spirituelle, discrètement caricaturale, et notre auteur — il me montra du doigt — en a ri de bon cœur pendant au moins deux minutes, ainsi d'ailleurs que plusieurs passants. J'avoue que j'ai été surpris par cette maîtrise, et que je me suis dit : « Pauley sait donc jouer la comédie! » Cette RÉVÉLATION m'a charmé. C'est pourquoi je pense que si vous jouez le rôle avec cette... finesse... cette... délicatesse... cette... subtilité, je pense que vous serez pour beaucoup dans le succès que nous espérons.

Il avait parlé très sérieusement, mais je voyais briller dans ses yeux une petite flamme de gaieté sarcastique.

Pauley, penaud, et ses vastes joues écarlates, se leva, et fit un pas vers le bureau. Avec une contrition sincère, il dit à mi-voix :

— Monsieur Mauley, je n'ai pas fait ça méchamment.

— Moi non plus, dit Maurey, moi non plus. Il est bien permis, entre amis, de se faire de petites farces... Parlons un peu sérieusement : avez-vous pensé à vos costumes?

Dès la première répétition, nous fîmes la connaissance du marchand de jouets. Il n'était pas beau, ni très jeune, mais une grande bonté illuminait son visage, et il avait une voix grave, un peu cassée, au timbre pathétique.

Il fit son entrée en scène avec une parfaite aisance, dit sa pauvre réplique avec beaucoup de naturel, et Max Maurey fut rassuré; mais dès le lendemain, il me confia qu'il avait un autre sujet d'inquiétude : il n'en manquait jamais.

— L'acteur que je comptais engager pour jouer Tamise vient de m'apprendre qu'il sera forcé de nous quitter trois mois après la première... Il a signé depuis longtemps un joli contrat pour une tournée en Argentine... J'ai bien envie de renoncer à son concours, car il n'est pas impossible que votre pièce soit encore à l'affiche après Noël. On ne sait jamais...

Il me parut bien peu optimiste...

— Toutefois, reprit-il, comme il est excellent, il serait peut-être bon de le garder et de prévoir une bonne doublure pour le remplacer fin décembre en cas de succès.

Je fus écœuré par cet « en cas ». Il en parlait comme d'une éventualité assez peu probable.

– Lefaur, lui dis-je, a une très grande confiance en notre réussite, il croit que nous atteindrons la deux centième.

– C'est-à-dire qu'il a confiance en lui, et qu'il trouve la pièce géniale parce qu'il ne quitte pas la scène. Pour moi, je pense que votre ouvrage est excellent, je l'ai monté pour mon plaisir, et pour être agréable à Antoine; mais je ne suis pas tout à fait certain que le public des Variétés s'intéressera aux malheurs d'un homme qui ne porte pas des souliers vernis.

J'avais déjà entendu cette absurdité, qui était la base même de la tradition des Variétés. Je répondis fort aimablement :

– Mais, mon cher directeur, je n'ignorais pas que l'art dramatique sur votre scène ne peut marcher qu'en chaussures vernies, escarpins, ou mules dorées... Mais songez qu'au quatrième acte Topaze portera des chaussures vernies en crocodile. Lefaur les a déjà commandées. Ainsi, au lieu de paraître bêtement au premier acte, elles ne brilleront qu'à la fin de la pièce, et le spectateur des Variétés, qui les attendait avec une sorte d'angoisse et qui croyait déjà avoir perdu sa soirée, éclatera en applaudissements frénétiques, et racontera bientôt à tous ses amis la machiavélique audace du dramaturge que je suis. C'est pourquoi je vous demande de ne pas engager un futur déserteur, dont le départ risque de déséquilibrer un triomphe possible, car, comme vous le dites si bien, on ne sait jamais! Trouvons tout de suite un autre Tamise!

– Je veux bien, dit Max Maurey, mais je ne vois personne qui me plaise vraiment...

Lefaur arriva sur ces entrefaites, et je lui soumis notre problème.

Il dit aussitôt :

— Pourquoi n'essaierait-on pas le marchand de jouets?

— C'est peut-être une idée intéressante, mais je ne veux pas donner à cet amateur un espoir qui risque d'être déçu. Je vais donc lui proposer la doublure du rôle : s'il s'en tire bien, c'est lui qui le jouera.

L'amateur stupéfait, et tremblant de joie, emporta le manuscrit sous son bras. Le lendemain après-midi nous répétions tout le premier acte.

Lefaur annonça triomphalement :

— Mes enfants, à partir d'aujourd'hui, je répète sans la brochure : je sais mon texte.

— Moi, dit timidement le marchand de jouets, il faut m'excuser : je ne sais que le premier acte.

Il l'avait appris dans la nuit, et le joua sans la moindre hésitation, avec une justesse de ton, une gentillesse, une naïveté si admirables que les machinistes l'applaudirent.

— Je crois, dit Max Maurey, qu'il peut tenir le rôle.

— Eh bien, moi, dit Lefaur, je suis sûr de son affaire. Ce garçon a des qualités exceptionnelles. C'est un plaisir de jouer avec lui, et je vous prédis qu'il fera une belle carrière.

Il ne se trompait pas : le marchand de jouets, c'était Larquey.

Nous n'étions pas encore à l'époque des metteurs en scène de génie, si précieux pour l'opérette, la féerie, ou le music-hall, si dangereux pour une comédie qu'ils considèrent comme un prétexte à l'étalage de leur virtuosité. Max Maurey me dit un jour :

— Lorsque le public de la générale applaudit les décors d'une comédie, un directeur avisé doit, dès le lendemain, mettre en répétitions la prochaine pièce.

Il n'avait pas tort, car lorsque le peintre, l'architecte, le compositeur de la musique de scène, le metteur en scène, se mettent au service d'une comédie, ils doivent d'abord respecter le ton de l'œuvre, et rester à leur rang, qui n'est pas le premier.

La mise en scène de *Topaze* fut dirigée par Max Maurey, Saint-Paul, et moi-même avec la collaboration des acteurs, et d'un assistant machiniste ou électricien, installé au balcon de la première galerie, tantôt à droite, tantôt à gauche. Il était chargé de crier de temps à autre :

– Je n'entends rien!

Les interventions de Saint-Paul étaient également de pure technique.

– Monsieur Maurey, voilà quatre minutes qu'ils sont du côté jardin, où les galeries de gauche ne les voient pas... Est-ce qu'on ne peut pas les faire descendre vers la rampe, ou au souffleur?

– Moi, disait Pauley, je passerais volontiers après « Rien n'est plus difficile que le choix d'un prête-nom ». Et tout en réfléchissant je vais m'asseoir à la cour sur le divan, je prends un temps, et j'enchaîne sur « Si l'on prend un homme d'une honnêteté maladive ».

– C'est à voir, disait Maurey. Essayons.

Une autre fois, c'était Lefaur qui donnait son avis.

– Monsieur Maurey, je crois qu'il n'est pas bon de descendre de la chaire sur cette réplique. Il me semble que nous avons là un gros effet et le mouvement risque de le couper. J'aimerais mieux descendre sur « Si cet honnête homme est caissier ».

– Oui, disait Maurey, vous pourrez ainsi aller placer votre effet au trou du souffleur, que vous regardez depuis un quart d'heure avec une véritable concupiscence.

Pour moi, je me bornais à des explications de texte (professeur un jour, professeur toujours), et je demandais aux comédiens de mettre en valeur des mots ou des répliques dont l'importance ne devait se révéler que plus tard, et surtout de rester dans le ton de l'ouvrage.

J'ai entendu dire assez souvent que j'avais voulu écrire une tragédie, mais que Max Maurey avait eu l'idée de la jouer en comédie. C'est parfaitement faux. Si j'avais pensé à un drame, je n'aurais jamais pensé à Jouvet, ni à Victor Boucher, ni à Max Dearly.

Il est vrai que le sujet de la pièce est, dans le fond, assez triste, et que la conclusion, très immorale en apparence, laisse paraître une assez profonde amertume. Mais c'est l'amertume de la comédie humaine et le texte ne se prête à aucun moment à une interprétation tragique.

Gaston Baty, qui eut souvent des idées originales, imagina un jour de jouer *Le Malade imaginaire* dans le ton tragique. Son Argan avait véritablement un cancer de l'intestin, ou peut-être du pancréas. Cette expérience théâtrale fut d'un grand intérêt, car elle démontra par l'absurde qu'il est impossible de changer le ton d'une véritable comédie.

Les premières répétitions étaient délicieuses. La présence, le mouvement et la voix des acteurs donnaient soudain trois dimensions au texte linéaire, et parfois tous ensemble, nous éclations de rire, charmés par la trouvaille d'un acteur; mais au fil des jours, les rires devinrent plus rares, puis les effets mieux établis ne firent plus sourire personne, et l'intrigue elle-même ne présenta plus le même intérêt. A trois jours de la générale tout me paraissait redites et rabâchages. Il me semblait que Max Maurey craignait de n'avoir pas le temps de répéter la pièce suivante, et qu'il méditait sans doute une reprise de *Pile ou face*.

Lefaur, soucieux, me disait :

— Je suis aussi cabotin qu'un autre, et pourtant il

me semble que je reste trop longtemps en scène. Je crains de fatiguer le public.

Maurey parlait de coupures possibles, et je voyais bien qu'il pensait toujours aux souliers vernis. Pauley lui-même travaillait son rôle avec une gravité inquiète. Seule Jeanne Provost, belle et souriante, semblait jouer la comédie avec plaisir.

J'avais entendu une conversation entre les machinistes; l'un disait avec force :

— Je te parie une semaine de ma paye que ça peut faire une centième.

— S'il n'y avait pas les fêtes de Noël, je ne dis pas. Mais si ça commence à flancher fin novembre, c'est sûr que le patron va monter autre chose en vitesse, pour sauver la recette des réveillons!

La dernière répétition fut lamentable. Lefaur, qui savait son texte sur le bout des doigts, avait des trous de mémoire qui l'épouvantèrent. Pauley ne trouvait plus ses places, le décor du second acte n'était pas prêt, la location, ouverte depuis deux jours, n'avait pas démarré.

C'étaient là de biens mauvais présages : mais le plus effrayant nous fut offert par l'invité.

Je crois que c'était un ami de Saint-Paul, un ancien régisseur de théâtre. Max Maurey avait toléré sa présence, parce que c'était un homme du métier.

— Ses impressions peuvent être intéressantes, avait dit Saint-Paul. Il a quarante ans de théâtre dans la tête; je puis vous dire qu'il s'est rarement trompé. Et puis surtout, pour notre pièce, c'est un œil neuf.

L' « œil neuf » avait la soixantaine, et une bonne figure un peu rougeaude. Il remercia Max Maurey, et alla s'asseoir modestement loin de nous, au centre du balcon, au premier rang.

J'avais l'intention de surveiller ses réactions. Pendant le jeu, la rampe à pleins feux et la salle éteinte, je ne distinguais pas très bien ses traits, mais je l'entendis rire plusieurs fois; puis le silence... Quand le rideau se baissa sur le premier acte, le lustre étincela soudain.

L'œil neuf dormait la bouche ouverte. Un machiniste courut le réveiller...

Il redescendit à l'orchestre, s'excusa fort poliment, en disant qu'il ne se sentait pas bien, et qu'il préférait rentrer chez lui; il nous laissa stupéfaits.

L'avis général fut que c'était un imbécile, qui avait certainement trop bu; mais cette sinistre aventure confirmait nos inquiétudes et la suite de la répétition fut lugubre.

Nous nous séparâmes vers trois heures du matin, sur des considérations peu rassurantes.

— Cette pièce, dit Lefaur, nous y avons tous cru dès le premier jour. La première impression est toujours la meilleure : ce n'est pas le sommeil d'un ivrogne qui peut influencer notre jugement. Moi, j'ai confiance. D'ailleurs les dés sont jetés, et nous n'y pouvons plus rien.

— Et puis, dit Pauley, cet abruti n'a pas vu le dernier acte : c'est celui qui nous sauvera.

Enfin, Max Maurey me serra les deux mains affectueusement.

— Ne vous désespérez pas encore, dit-il. Au théâtre, on n'est jamais sûr de rien, pas même d'un four.

Le lendemain matin, malgré les consolations de Jacques, qui continuait à nous prédire au moins trois cents représentations, j'étais en grand souci, lorsque Léopold nous rendit visite.

Mais je n'osais pas lui parler de l'œil neuf, je lui fis part de mes appréhensions : il me raconta aussitôt la surprenante histoire de *Cyrano*. Le soir même de la générale, Edmond Rostand alla voir Coquelin dans sa loge, où le grand Coquelin achevait d'ajuster son nez. Il le regarda un moment en silence, puis, humblement, il lui dit :

– Mon cher Coquelin, pardonnez-moi de vous avoir entraîné dans cette aventure...

A minuit, la représentation du chef-d'œuvre s'achevait sous une tempête d'acclamations.

– Cette histoire est très belle, lui dis-je, mais moi, je n'ai pas écrit *Cyrano*.

Il répliqua :

– L'histoire prouve que même si tu l'avais écrit, tu serais pareillement découragé. Mais ne parlons plus de ton courage, auquel tu ne comprends plus rien. Allons déjeuner tous les trois chez Maxim's, trois ravissantes demoiselles nous y attendent : ne leur donne pas le spectacle de ta lâcheté.

Lorsque j'arrivai au théâtre, deux heures avant la répétition générale, j'avais la bouche sèche et les mains moites. Pauley transpirait au point que son vaste visage refusait le maquillage, et Lefaur, devant son miroir, récitait son texte aussi vite qu'un perroquet enragé.

A un ami souriant qui entrait dans sa loge, et qui lui demanda : « Ça va ? » il ne répondit que par le mot de Cambronne, proféré sur un ton si farouche que l'ami, consterné, s'enfuit à reculons.

J'allai faire un tour sur la scène.

Pendant que l'accessoiriste mettait en place les livres et les cahiers sur les pupitres des élèves, les électriciens retouchaient l'éclairage, sous la direction de Max Maurey lui-même. J'entendais déjà bourdonner la salle. J'appliquai mon œil contre le guignol, qui est un petit trou rond, à hauteur d'homme, au milieu du rideau... « Ils » entraient, échangeant de loin des sourires, ou des petits saluts de la main. Beaucoup de visages inconnus, puis Robert Kemp, Fortunat Strowski, Lucien Dubech, Georges Pioch, Pawlowski, Pierre Brisson, les seigneurs de la critique, ceux dont le jugement pouvait faire le succès ou l'échec d'une comédie. Enfin André Antoine, qui avait aimé *Topaze*, mais qui allait peut-être se déjuger pendant la représentation. Je fus un peu rassuré par l'entrée de Jacques, de Léopold Marchand, de Bernard Zimmer, Paul Nivoix, installés au premier rang des balcons; ceux-là ne me siffleraient certainement pas...

Max Maurey me toucha l'épaule. Lefaur venait d'entrer, un livre à la main, et il était suivi par un petit élève.

Je lui demandai :

— Ça va?

— Un peu mieux que tout à l'heure, dit-il, car je puis t'annoncer une bonne nouvelle que je viens d'apprendre. L'œil neuf est mort, ce qui change entièrement le sens que nous donnions à son sommeil.

— Sans aucun doute, dit Max Maurey. Mais il vaut mieux n'en parler à personne. On pourrait dire que nous n'avons eu jusqu'ici qu'un seul spectateur, qu'il n'a vu que la moitié du premier acte, et qu'il en est mort. Maintenant, sortons de scène. On va lever, et les frères Isola m'attendent dans ma loge...

Je me retirai dans la coulisse, où le pompier de service, parfaitement indifférent, attendait la fin de la soirée, comme si ce jour eût été un jour ordinaire.

La mort de l'œil neuf atténuait mes inquiétudes, mais la présence des Isola ne pouvait que les aggraver. Après avoir refusé la pièce, ils étaient venus. C'était la preuve qu'ils s'attendaient à un four... S'ils avaient cru à un succès, ils seraient allés se cacher. Mais non, ils étaient là, à la vue de toute la salle, dans la baignoire du directeur...

Soudain, la scène trembla sous mes pieds : le régisseur frappait le premier des trois coups. Avant le second, je pris la fuite, et j'escaladai quatre à quatre un escalier qui me conduisit au dernier étage, dans un couloir poussiéreux, bordé d'anciennes loges d'artistes dont les fenêtres donnaient sur des toits. Elles étaient abandonnées depuis longtemps, depuis le temps des pièces à vingt personnages entourés de trente figurants.

Je m'installai dans la plus petite, dont la lumière fonctionnait encore, et j'attendis.

Je n'entendais aucun bruit, aucun son, sinon la corne des taxis de la rue Vivienne et de la place de la Bourse... J'ouvris machinalement le tiroir de la table de maquillage : j'y trouvai un carnet, aux pages gondolées par le temps. C'était celui d'une habilleuse; elle y avait noté ses achats de cosmétiques et de fond de teint pour « Mademoiselle », ainsi que les pourboires qu'elle avait reçus. Dix francs de M. le baron, cinq francs de M. Guy, trois francs d'un journaliste (à qui elle avait sans doute confié quelques ragots sur Mademoiselle), cinq francs de l'Olibrius...

Cet Olibrius me fit rêver. Sans doute quelque soupirant comique et timide... Avait-il réussi à toucher le cœur de Mademoiselle?

Il y avait aussi « Edouard, 8 francs », puis au-dessous, entre parenthèses, « Ça fait 37 qu'il me doit depuis Noël ».

Ces personnages m'intéressèrent d'autant plus vivement que je faisais de grands efforts pour les susciter, afin d'oublier la tragédie qui se déroulait en bas, sur la scène, devant la critique assemblée. J'essayai de trouver une intrigue qui les mît en action; sur les pages blanches du carnet, « blanches » a ici un sens particulier, car elles étaient piquetées de moisissures rousses, je rédigeai fébrilement deux ou trois ébauches de comédies en trois actes.

Cette évasion dura probablement une heure, puis je cessai de m'abuser, et je poussai un grand soupir.

Je dis à mi-voix : « Ils ont certainement fini le premier acte, et ils sont en train de jouer le deux. Si le " un " avait eu un grand succès, j'aurais certainement entendu quelque chose... Et puis, on serait venu me chercher. »

Je pensai alors que :

– Premièrement : on n'a jamais vu un premier acte déclencher une ovation, sauf peut-être le premier acte de *Cyrano*. D'autre part, personne n'était venu m'appeler, parce que tout le monde me croyait parti.

Ce raisonnement me rassura; mais je pensai tout à coup que la longue scène qui termine le deuxième acte ne m'avait jamais paru très bonne, et qu'on la jouait peut-être en ce moment même; c'est la fin du second acte qui décide du succès de la soirée. Ma scène me paraissait lente, sans éclat. Lefaur m'avait dit, avec sa discrétion habituelle : « Peut-être un peu longuette... » et j'avais senti qu'il était gêné aux répétitions.

Pourtant, la situation dramatique était bonne, c'était le tournant de l'action. Je ne l'avais donc pas exploitée... Je décidai donc d'en écrire immédiatement une nouvelle version, et je dis à haute voix : « Si on la siffle ce soir, on l'applaudira demain! »

Sur le carnet de l'habilleuse, je me mis au travail avec une ardeur fébrile. Les répliques s'enchaînaient sans effort, le mouvement scénique était vif et brillant, je riais de bon cœur de mes traits d'esprit et j'étais surpris moi-même de la fraîcheur de mon inspiration.

J'arrivais à la fin de ce délicieux travail, lorsque je crus entendre des pas lointains, mais nombreux.

Je prêtai l'oreille. Une rumeur de voix et de rires montait vers moi. Puis, à l'étage inférieur, on ouvrait et fermait des portes; enfin, la mienne s'ouvrit brusquement, et Jacques parut, rayonnant.

Avec lui, Paul Nivoix, Liausu, Léopold Marchand, Roger-Ferdinand, Bernard Zimmer, Marcel Achard, et j'appris le succès de *Topaze* sur les beaux visages de l'amitié. Ils riaient, ils parlaient tous à la fois, ils m'entraînèrent vers les loges des comédiens.

Le rideau venait de se baisser sur le troisième acte; le couloir était envahi non seulement par des amis, mais par des critiques, des journalistes, des confrères; on criait des félicitations à travers la porte de Lefaur, qui refusait de l'ouvrir, car il avait à changer de costume, et à refaire son maquillage. Pauley, cerné dans un coin de sa loge, entendait des louanges unanimes, parfois assorties d'une surprise si grande qu'elle en était désobligeante.

Un critique lui dit, en toute simplicité :

— Mon cher Pauley, pourquoi nous avoir si longtemps caché ce grand talent en nous régalant de pitreries?

— Monsieur, répliqua Pauley épanoui, je ne choisis pas mes rôles, je joue ceux que l'on me donne. Et lorsque j'ai fait des pitreries, c'était parce qu'il n'y avait rien d'autre à faire.

Comme deux auteurs de la maison se trouvaient tout justement dans sa loge, cette réplique fit des effets différents et simultanés : Max Maurey, qui venait d'entrer, fut tout heureux de me découvrir, et de changer le ton de la conversation.

— Enfin! Voici notre auteur! Cher ami, Lefaur, Pauley, Jeanne Provost, Larquey, tout le monde a été parfait! Je puis vous dire que jusqu'ici la partie est gagnée.

Je demandai assez timidement :

— La scène de la fin du deux n'est pas trop longue?

— Pour l'amour de Dieu, n'y touchez pas! s'écria Max Maurey. Ils ont ri si souvent que nous avons perdu un tiers du texte! Il faudra dire à Lefaur de ne pas parler sur les rires, et il fera au moins dix effets de plus! Maintenant, messieurs, il est temps de retourner dans la salle, pour écouter le quatrième acte, qui est certainement le meilleur de la pièce : c'est mon acte préféré!

— Je sais, dis-je. A cause des souliers vernis!

— Oui, monsieur, dit-il avec force. Je compte fermement sur leur éclat. C'est grâce à eux que votre pièce, commencée dans un milieu plutôt sordide, s'achèvera dans un monde élégant, digne du cadre des Variétés, et de notre public. Au lieu d'aller vous cacher bêtement, restez donc dans la coulisse, pour entendre nos comédiens. Mais prenez un moment pour aller vous coiffer, et refaire le nœud de votre cravate, car il faudra vous présenter en scène quand la salle vous appellera.

Très ému, je restai dans la coulisse. Lefaur, en jaquette, lançant des éclairs noirs à chaque pas, attendait son entrée, pendant que Jeanne Provost et Pauley se querellaient en scène. Il était grave et tendu; il posa son bras sur mon épaule, mais ne me dit pas un mot. Les machinistes, marchant sur la pointe des pieds, me faisaient des clins d'œil triomphaux.

J'entendais les phrases que j'avais écrites : je ne les reconnaissais pas. Elles n'étaient plus collées sur le papier : les mots volaient à hauteur d'homme et brillaient au passage dans la lumière de la rampe...

Lefaur fit son entrée, sur de grands éclats de rire, puis Pauley sortit, grandement applaudi. Il me serra dans ses bras, en murmurant : « Merci, merci... », et courut se cacher dans sa loge... Larquey parut, et vint près de moi pour attendre son entrée. Il allait jouer la dernière scène, qui est très longue, et dire la dernière réplique de la pièce.

Je chuchotai :

— As-tu peur?

— Bien sûr que j'ai peur. C'est la chance de ma vie.

Il tendait l'oreille, pour ne pas rater son entrée. Soudain, il tâta sa cravate, ajusta son chapeau, et murmura :

— Dis-moi merde.

Je le dis à voix basse, avec une vraie tendresse. Son visage s'éclaira; Saint-Paul surgit derrière lui et le poussa en scène.

Dès son entrée, les rires fusèrent, sa voix tremblait un peu mais c'était celle qui convenait au personnage, et son trac jouait la timidité... Sur une réplique qui n'avait jamais le moindre effet aux répétitions, des applaudissements éclatèrent...

Je me souvins alors que Jacques en avait beaucoup ri dans la voiture.

C'était maintenant Lefaur qui faisait un effet sur chaque réplique, et qui paraissait aussi surpris que s'il marchait sur des pétards.

Alors, je compris qu'on allait me pousser sur la scène, blême, blafard, entre deux acteurs maquillés, ébloui par la rampe comme un hibou en plein soleil, et steppant comme un ataxique à cause du plancher en pente, en face de mille personnes... Je descendis à reculons vers la loge du concierge, et je pris la fuite en rasant les noires vitrines le long du passage des Panoramas.

4

MARIUS

1929

Je ne savais pas que j'aimais Marseille, ville de marchands, de courtiers et de transitaires. Le Vieux-Port me paraissait sale – et il l'était; quant au pittoresque des vieux quartiers, il ne m'avait guère touché jusque-là, et le charme des petites rues encombrées de détritus m'avait toujours échappé. Mais l'absence souvent nous révèle nos amours...

C'est après quatre ans de vie parisienne que je fis cette découverte : de temps à autre je voyais dans mes rêves le peuple joyeux des pêcheurs et des poissonnières, les hommes de la douane sur les quais, derrière des grilles, et les peseurs-jurés, dont Sherlock Holmes eût aisément identifié le cadavre, car ils ont une main brune, celle qui tient le crayon, et l'autre blanche, parce qu'elle est toujours à l'ombre, sous le carnet grand ouvert...

Alors, je retrouvai l'odeur des profonds magasins où l'on voit dans l'ombre des rouleaux de cordages, des voiles pliées sur des étagères et de grosses lanternes de cuivre suspendues au plafond; je revis les petits bars ombreux le long des quais, et les fraîches Marseillaises aux éventaires de coquillages.

Alors, avec beaucoup d'amitié, je commençai à écrire l'histoire de *Marius*, en même temps que je travaillais à *Topaze*. J'ai dit ailleurs que ces deux ouvrages avaient été refusés en même temps par un grand théâtre de Paris. J'avais été profondément découragé par l'échec de *Topaze*, mais celui de *Marius* ne m'avait pas surpris. La pièce était vraiment trop locale : d'ailleurs, en l'écrivant, j'avais dans l'oreille la voix des acteurs marseillais de l'Alcazar.

C'était un très vieux théâtre, où l'on jouait continuellement des revues d'un genre très particulier : elles continuaient une tradition millénaire, celle des atellanes latines, d'une liberté et d'une verdeur de langage qui surprenaient les gens du Nord... Rien d'obscène, cependant : un ton de bonne humeur populaire, et comme ensoleillée, faisait tout passer. C'est Montaigne qui a dit : « Que le gascon y aille si le français n'y peut aller! » À l'Alcazar, c'était le provençal, qui comme le latin peut souvent « braver l'honnêteté ».

On avait déjà vu sur cette scène de grands comédiens, qui y firent leurs débuts : Maurice Chevalier, Raimu, Vilbert, Georgel. D'autres, comme Augé, Delmont, Fortuné Cadet, Alida Rouffe, Dullac y étaient restés.

Le directeur de cette troupe, c'était Franck, qui dirigeait également les Variétés.

Topaze reçu aux Variétés de Paris, j'annonçai la nouvelle à Franck, et je lui envoyai le manuscrit de *Marius*.

Franck était d'origine italienne, comme Vincent Scotto, mais il avait cru habile de prendre le nom de Franck, parce que le célèbre directeur des Variétés de Paris, qui s'appelait Louveau, avait pris le nom de Samuel.

De taille moyenne, mais assez rond, il parlait un langage pittoresque, un français du Vieux-Port mêlé de provençal et d'italien. Il ne vivait que pour le théâtre, et connaissait fort bien son métier, dont il traitait les affaires avec beaucoup d'enthousiasme, de bonhomie et de malice. C'est lui qui avait présenté au public de Marseille ma première ébauche dramatique, qui était un vaudeville assez graveleux; je pensais que *Marius* lui plairait, et je fus surpris de ne recevoir aucune réponse. Puis vint un télégramme laconique : « Viens me voir. Franck. » Je ne sus qu'en penser, et je « descendis » à Marseille.

Cette expression méridionale fait rire les gens du Nord, elle est pourtant fort juste, car sur une carte murale, quand on va de Paris à Marseille, on descend.

Dès que j'entrai dans son bureau, il leva les bras au ciel, et m'accueillit par une série de vocatifs.

– Ô malheureux! Ô pauvre enfant! Ô misérable! Tu ne t'imagines quand même pas que je vais créer cette pièce à l'Alcazar! Ne compte pas sur moi pour faire un CRIME! Ce *Marius*, c'est un chef-d'œuvre. Assis-toi. Ecoute-moi bien. Ce *Marius*, je le jouerai, oh oui – et chaque représentation, ce sera un gala – mais après sa 300ᵉ à Paris. Qu'est-ce que je dis la 300ᵉ? La 500ᵉ. Oui, monsieur, oui parfaitement!

– Mais, mon beau Franck, c'est une pièce beaucoup trop locale.

– Qué locale? Et *Beulemans*, c'est pas local? Et *La Dame aux camélias*, c'est pas local?

– Mais je ne connais pas encore beaucoup de monde à Paris... Et puis *Les Marchands de Gloire*... Les directeurs de théâtre ont leurs idées, et j'ai bien peur que ce ne soient pas les vôtres... Et puis, je ne vois pas dans quel théâtre...

Il haussa les épaules.

– Ecoute-moi bien. Tu vas à la brasserie de la Régence – c'est juste en face de la Comédie-Française. – Tu as ton manuscrit sous le bras – avec ton téléphone sur la couverture. – Tu vas t'asseoir dans un coin sombre et tu commandes un bock.

– Pourquoi un coin sombre?

– Parce qu'il ne faut pas que le garçon s'aperçoive – quand tu auras bu ton bock, et que tu partiras – il ne faut pas qu'il s'aperçoive que tu as oublié ton manuscrit sur la table. S'il le remarque il te le rendrait! Donc, tu t'en vas discrètement, et le lendemain matin, vers les onze heures, le directeur de la Comédie-Française te téléphone : « Mon cher maître, j'ai l'honneur de vous informer que nous répétons à une heure et demie. »

– Alors, je prends mon chapeau, je bondis dans un taxi, et...

– Arrête-toi, malheureux, quitte ce chapeau...! Tu lui réponds : « Non, parce que vous n'avez pas de Marseillais dans la troupe! » et tu raccroches. Remarque bien : je ne suis pas sûr que ça se passera comme ça, mais c'est pour dire.

– Pour dire quoi?

– Pour dire qu'une belle pièce, ou même une bonne pièce, ça se place tout seul. On raconte que les directeurs ne lisent pas les manuscrits. Ce n'est pas vrai, ils les lisent tous, et ils les font lire, parce que c'est leur métier et c'est leur fortune. Ecoute-moi bien. Tu connais Raimu?

– Non. Je l'ai vu dans des opérettes ou des revues, mais je ne le connais pas personnellement.

– En ce moment, il appartient à la troupe de Volterra, et Volterra a le Théâtre de Paris. Porte ta pièce à Raimu. C'est un grand comédien, et le rôle de Panisse, pour lui, c'est du « sur mesure ». Il la lira à son directeur, et je te garantis que c'est une affaire faite. Je vais lui écrire tout de suite, quoiqu'il se soit bien moqué de moi un jour. Figure-toi que je l'avais engagé comme souffleur, et il se débrouillait très bien. Un soir, mon second comique s'amène saoul comme une bourrique, et sa doublure était à l'hôpital. Moi, j'arrive au théâtre vers neuf heures et demie, j'entre comme d'habitude par le promenoir, et qu'est-ce que je vois? Jules qui jouait le rôle, et qui faisait un effet à chaque réplique! Tout de suite je résilie le pochard, et je fais un contrat à Jules. Cinq francs par jour! Pense qu'un député gagnait dix francs! Pendant trois mois, ça marche très bien, et il a de plus en plus de succès. Naturellement, il me demande une augmentation. Naturellement, je lui dis : « Il faut que je réfléchisse, que je fasse mes comptes... J'ai de gros frais. »

Il me fait : « Si gros que ça? » Je lui dis : « Enormes. Le lundi je perds de l'argent. Alors, tu comprends, cette augmentation, nous en reparlerons un peu plus tard. » Il dit « Bon, bon » et il va en scène. Mais le lendemain, il me fait apporter une lettre : « Mon cher directeur, cette idée que vous avez tant de frais, ça m'a brisé le cœur. Ça ne peut pas continuer comme ça, surtout le lundi. Alors, pour diminuer les gros frais, j'ai signé un contrat avec le Palais de Cristal, qui doit avoir de petits frais, puisqu'il me donne dix francs par jour, et comme aujourd'hui c'est lundi, j'ai demandé à débuter ce soir. Ça me fait peine de quitter l'Alcazar, mais franchement, je ne vous en veux pas, au contraire. A dessias. Votre dévoué : Raimu. »

D'abord, j'ai cru que c'était une blague : mais le soir, il n'est pas venu, et c'est un machiniste qui l'a doublé. On lui a lancé des sous, pendant que Jules avait un triomphe au Palais de Cristal. La grosse colère me prend : je lui fais un procès, avec un huissier, un avocat et tout, et des dommages-intérêts. Alors le président lui dit :

– C'est bien vous qui avez signé ce contrat?

– Oui, monsieur le président.

– Et vous reconnaissez avoir quitté brusquement l'Alcazar pour aller jouer au Palais de Cristal.

– Oui, monsieur le président.

– Vous rendez-vous compte que c'est très grave?

– Oui, mais ce n'est pas ma faute.

Alors moi je me lève, et je crie : « Pas de sa faute? Un garçon qui était souffleur, que j'ai fait débuter sur la scène, que j'ai mis en vedette américaine avec des lettres de dix centimètres, et... » J'allais lui en dire de terribles, mais le juge me fait taire, et annonce que si je continue, on va m'expulser! Après il lui demande :

– Comment osez-vous prétendre que ce n'est pas de votre faute?

Alors cet hypocrite baisse les yeux, et répond :

– C'est maman qui ne veut plus que je joue chez M. Franck. Ce n'est pas moi. C'est maman. Elle veut pas.

Et il se tourne du côté d'une grande femme bien convenable, avec le sautoir en or, et le sac à main. Eh bien, mon ami, j'ai perdu : il était mineur! Sa signature ne valait rien! Et le président m'a sonné les cloches pendant dix minutes, qu'un directeur de théâtre doit s'informer avant de signer un contrat, que d'engager un mineur sans la signature des parents ça peut vous mener loin, bref un peu plus on m'envoyait aux galères... Mais tout ça n'empêche pas son talent. Porte-lui ton manuscrit, et tiens-moi au courant.

Raimu, à cette époque, venait de dépasser la quarantaine. Il était très connu à Paris, et il avait eu de grands succès dans des revues, à Marseille, puis à Toulouse, dans de petites pièces en un acte, et dans un tour de chant de « comique troupier ».

Grâce à Mayol, Toulonnais comme lui, il était ensuite « monté » à Paris, sur la scène du music-hall fondé par l'illustre chanteur, pour y débiter des niaiseries, et chanter lui-même :

> *Je me balance*
> *En cadence*
> *J'ai pas les pieds plats*

Il m'a dit souvent, avec une sorte de nostalgie, que cette chanson était son triomphe.

Cependant, la critique et les auteurs l'avaient remarqué, et on lui offrit un jour un rôle de comédie dans *L'Ecole des cocottes*, d'Armont et Gerbidon.

Cette pièce oubliée est pourtant une brillante comédie-vaudeville, qui tient parfaitement la scène : elle est vieillie par son titre, mais je crois que nous la reverrons un jour.

Raimu y jouait le rôle de Labaume : c'est un vieil amoureux qui cède sa maîtresse adorée à un ami beaucoup plus riche que lui, dans le seul intérêt de la belle enfant. Le rôle est très court, mais très humain.

Raimu le joua avec tant de sincérité, de pudeur et d'émotion que l'illustre Lucien Guitry, qui était le pape des comédiens, vint lui dire publiquement dans sa loge : « La critique m'a parfois accordé le titre de premier acteur français. Je ne suis pas très sûr de le mériter. Mais je puis vous dire que si je suis le premier, vous êtes certainement le second. »

Raimu en eut une grande joie, mais il accorda à cette déclaration plus de reconnaissance que de créance; et d'autre part, il était toujours lié par de nombreux contrats, car il souffrait d'une peur maladive d'en manquer : c'est pourquoi il continua sa carrière dans la revue et l'opérette.

Léon Volterra, ancien marchand de programmes vendus à la sauvette à la porte des théâtres, était devenu un très grand directeur : il lui offrit un contrat de quatre ans, et l'employa au Casino de Paris, puis à Marigny.

C'est dans les coulisses du Marigny qu'il me reçut. Il était habillé de vêtements féminins, car il jouait une riche bourgeoise dans un sketch de ce délicieux Saint-Granier, qui fit la joie de Paris pendant tant d'années. C'était une scène intitulée *Amies de pension*. L'autre dame était Pauley, qui pesait cent quarante kilos. Elle était assise sur un banc, au bois de Boulogne. Raimu entrait, portant sous son bras un très petit chien et le dialogue était le suivant :

– Mon Dieu, ma chérie! C'est toi?

– Adélaïde, que fais-tu là? Quelle joie de te revoir!

– Oui, c'est bien loin, le couvent des Oiseaux...

Ces dames s'embrassaient et commençaient à échanger des souvenirs... Puis la conversation devenait plus intime, et Raimu, piquant du doigt le corsage énorme de Pauley, lui demandait d'un air coquin :

– Et que sont devenus les deux petits mignons?

Pauley, après un grand soupir, répondait tristement :

– Les deux petits mignons sont devenus deux grands pendards...

Cette réplique, qui soulevait des vagues de rire, était empruntée à Ninon de Lenclos; mais les auteurs de revues ont toujours été trop modestes pour avouer leur érudition.

Alors Raimu, avec une malicieuse fierté, s'écriait :

– Eh bien, ma chérie, les miens sont restés si pointus que je les frotte au papier de verre tous les matins, sinon ils trouent mes soutiens-gorge!

Il eut un grand succès de fou rire et sortit de scène parfaitement heureux.

– J'ai un changement, me dit-il. Venez dans ma loge.

Tout en quittant ses robes pour s'habiller en officier de marine, il me parla de l'enthousiasme de Franck qui lui avait écrit, puis il me dit :

– Ce qui m'inquiète dans cette affaire, c'est qu'il y a cinq ou six ans une troupe de Marseillais est montée à Paris, et ils ont joué une pièce dans le genre marseillais. La critique les a traînés dans la boue, et le public les a sifflés. La pièce était mauvaise, et les acteurs n'étaient pas bons. Ça nous fait quand même un mauvais précédent. Mais Volterra l'a peut-être oublié. Essayons toujours! Si votre pièce est bonne, il y a de l'espoir.

Il me téléphona le lendemain, pour me dire que *Marius* lui plaisait beaucoup, et qu'il avait remis le manuscrit à « la Patronne ». C'était Simone Volterra. Le lendemain, un pneumatique me convoquait au Théâtre Marigny, où l'on répétait une revue.

Dans la très belle galerie qui entoure l'orchestre, j'attendais dans la pénombre la fin de la répétition. J'entendais un jazz frénétique, et le piétinement cadencé des girls, et une voix de femme criait sans arrêt, en suivant le rythme de la musique : « Smile, girls! Smile girls! »

Une ombre s'avança dans l'obscurité. C'était un homme de taille moyenne, sous un chapeau de feutre noir, qui marchait sans bruit.

Il s'arrêta devant moi, et dit à mi-voix :

– Bonjour. Je suis Valentin, le chef machiniste des deux théâtres. Je suis marseillais.

Il n'avait pas besoin de le dire. Je me levai pour lui serrer la main.

– La Patronne va venir, et je crois qu'elle vous donnera une bonne nouvelle, mais rappelez-vous que je vous ai rien dit, et que je vous ai pas vu. Elle est un peu « brusque » mais elle est brave, et c'est une tête. Figurez-vous que...

La musique venait de se taire, il tendit l'oreille et dit :

— Attention, la voilà.

Il disparut comme une ombre, et je vis s'avancer une grande jeune femme, qui marchait d'un pas décidé. Au passage, elle pressa un bouton, et la lumière jaillit.

Son visage était d'une régularité parfaite, et comme éclairé par des yeux verts.

— C'est vous ?

— Oui, madame. C'est moi.

— Eh bien, hier soir, j'ai lu votre pièce à mon mari. Elle nous plaît beaucoup. Il compte la monter au prochain tour, c'est-à-dire dans trois ou quatre mois.

Elle avait dit ces paroles miraculeuses de la façon la plus naturelle. Elle ajouta :

— Léon est au Théâtre de Paris... Allez le voir. J'ai quarante personnes en scène. A tout à l'heure.

Elle me serra la main comme un homme, et partit à grands pas.

— Je crois que c'est une bonne pièce, me dit Volterra. Un peu spéciale, mais c'est un coup à jouer. Et tu as de la chance, parce que j'ai justement sous la main deux grandes vedettes : Francen et Gaby Morlay.

C'était évidemment deux acteurs illustres qui avaient fait la fortune de bien des ouvrages, et que les auteurs dramatiques de premier rang se disputaient...

— Mon cher directeur, lui dis-je, en y ajoutant Pierre Blanchar, ce serait une distribution fastueuse, et le succès assuré, si la pièce n'était pas aussi locale. Mais elle exige un accent marseillais authentique, elle

164

est écrite en français de Provence, et le texte contient des intonations particulières, une sorte de petite musique qui donne leur sens véritable aux répliques. On ne peut pas jouer *Beulemans* sans une troupe belge, ni *Marius* sans Marseillais.

Léon Volterra se leva, et les mains dans les poches, il fit plusieurs fois le tour de son bureau. Il revint se planter devant moi.

– Par conséquent, tu veux Raimu?

– Bien entendu. Je compte même sur lui pour diriger la mise en scène.

– Tu connais son caractère?

– Il a été amical avec moi.

– Je t'avertis qu'il est insupportable, et qu'il te fera les pires ennuis.

– Ce n'est pas sûr.

– C'est sûr. Et d'autre part, j'ai besoin de lui au Casino et à Marigny. Je crois que tu ferais bien de le laisser où il est. Je ne le crois pas capable de jouer un grand rôle de comédie. Oui, je sais : Labaume. Mais Labaume, c'était un sketch de quarante lignes. Réfléchis bien.

– C'est tout réfléchi. Je suis sûr de lui.

– Bien. Tu l'as voulu, tu l'auras : mais si plus tard tu viens te plaindre, je te rirai au nez. Donc, prépare l'affaire avec lui. En principe, on répète en février, ou fin janvier, pour passer en mars. Prépare ta distribution. Va chercher tes comédiens, et convoque-les ici le plus tôt possible. Pour Raimu, Blanchar et Demazis, c'est d'accord. Mais le plateau ne doit pas dépasser cinq mille francs. Maintenant, excuse-moi. Il faut que j'aille à Luna-Park pour arranger une question de préséance entre le géant et la femme-tronc. A demain soir, ici, à 5 heures, avec Raimu.

Je passai une passionnante soirée dans la loge du grand Jules. Il jouait une opérette. Le trait principal de la psychologie de son personnage était une paire de souliers dont la longueur dépassait cinquante centimètres. Pendant les entractes, et entre ses sketches, nous fîmes un projet de distribution.

– Pour Marius, Blanchar. Ça c'est bon. Mais est-ce qu'il est libre?

– Je le crois. Je vais lui téléphoner.

– Pour Fanny, Demazis.

– Elle est libre, et c'est d'accord.

– Pour les autres, des gens de l'Alcazar; Honorine, ce sera Alida Rouffe.

– Où est-elle?

– Probablement chez Franck, ou alors dans quelque tournée, du côté de Vallauris ou de Cogolin. Débrouille-toi. Franck doit le savoir. Pour Escartefigue, Dullac. Je m'en charge. Il chante les comiques troupiers dans les banlieues. Pour le chauffeur du fériboite, le petit Maupi. Il est au Concert Mayol, dans une revue. C'est la seule personne de la troupe qui ne montre pas son derrière en scène. Ce n'est pas par pudeur, c'est parce qu'il n'est pas joli. Malgré ça, c'est un très bon comédien. Maintenant, il nous faut deux rondeurs, pour César et Panisse. Moi, j'en jouerai une, il faut trouver l'autre. On verra. Pour le moment, occupe-toi de Blanchar.

J'eus une grande déception. Avec une parfaite franchise, Blanchar me dit :

– Tu ne m'as plus parlé de *Marius* depuis six mois. Bernstein m'a proposé un contrat de quatre ans, en même temps qu'à Charles Boyer. J'ai des responsabilités envers ma famille. Charles a signé. Moi aussi. Je ne savais pas que Volterra allait monter *Marius*. De toute façon, je n'ai jamais espéré qu'on jouerait ta pièce quatre ans. Ça ne s'est encore jamais vu; et puis, Charles est pour moi comme un frère. Nous avons souvent joué ensemble. Alors, sans nouvelles de toi, j'ai signé.

– Tant pis, me dit Jules. C'est une grosse perte, mais nous trouverons quelqu'un. Pour le moment, tu devrais aller à l'Odéon, pour voir un nommé Charpin; il joue une pièce de Roger-Ferdinand, qui s'intitule *Chotard et Compagnie*. C'est une rondeur, qui pourrait jouer César ou Panisse. On m'a dit qu'il était très bien. Moi je suis en scène tous les soirs, je ne peux pas y aller : vas-y.

J'allais donc un soir entendre *Chotard*.

La pièce était charmante, et elle avait un grand succès. Charpin, qui jouait un épicier avec son accent provençal, était excellent, et je pensai qu'il ferait un César admirable. Il avait de l'autorité, une belle voix, et jouait la comédie avec une sobriété sans bavures.

Dès le premier entracte, je montai lui rendre visite, le féliciter, et lui parler de *Marius*.

Comme je pénétrais dans le long couloir des loges d'artistes, je vis un étonnant spectacle. Paul Abram, le paisible directeur du théâtre, tenait à la gorge un grand jeune homme, qu'il collait au mur, et de sa droite directoriale, il lui plaçait une série de crochets à la mâchoire. Je fus surpris qu'il traitât ses pensionnaires avec une telle sauvagerie.

L'autre, terrorisé, ne répondait que par des cris inarticulés.

Je m'élançai vers ce combat doublement singulier lorsqu'une foule d'acteurs sortirent des loges, tandis qu'un groupe de machinistes arrivaient en courant de l'autre bout du couloir : je crus voir une révolte dans un bagne, comme nous en montrent les films américains. Parvenu sur le lieu du massacre, je constatai que la bagarre était terminée. Le jeune homme ouvrait et fermait sa bouche sans mot dire, comme une carpe tirée au sec, et Paul Abram, penché vers lui, demandait affectueusement :

– Ça va mieux ?

– Oui, dit la victime. Je crois que ça y est. Ça me fait mal, mais c'est en place.

C'était le jeune premier de la troupe, qui s'était démis la mâchoire en croquant un berlingot, et le paternel directeur venait de le soigner sous nos yeux.

Paul Abram est un Provençal de vieille souche, qui fut longtemps le collaborateur de Gémier, et son successeur à l'Odéon, où son souvenir est encore vivace.

Il me conduisit à la loge de Charpin, et me présenta en ces termes :

– Voici l'auteur des *Marchands de Gloire* et de *Topaze* qui vous trouve admirable, et qui a quelque chose à vous dire.

Il ajouta pour moi :

– Après le spectacle, je t'attendrai dans mon bureau.

Charpin, tout en faisant un « raccord » de maquillage, écouta mes compliments avec un sourire un peu gêné.

– Cher monsieur, dit-il, c'est pour rendre service à la direction que j'ai accepté le rôle de Chotard, car il n'est pas de mon emploi, comme vous le savez sans doute... Je suis d'abord un tragédien. Mais cela m'amuse de prouver qu'il m'est possible de faire rire le public tout comme un autre...

Il regardait son image dans le miroir, et tapotait sa tempe droite du bout de son index recourbé. Pendant cette opération, il cria plusieurs fois sur deux notes, la première très grave, la seconde très aiguë : « Mââ Pipe! Mââ Pip! Mââ Pip! »

Je compris qu'il voulait me faire apprécier l'ampleur de sa voix tragédienne, et je lui en fis compliment.

Il sourit d'aise.

— Vous m'avez vu dans Théramène?

Je dus avouer que je n'avais pas encore eu ce plaisir : il parut surpris et choqué.

— Dans ce cas, dit-il, je vous prie de ne pas me juger sur ce Chotard, qui ne me permet pas d'utiliser tous mes moyens!

— Je le sais, dis-je, mais je viens tout justement vous proposer un rôle de comédie.

— Vous avez une pièce dans la maison?

— Non, au Théâtre de Paris.

Il fit une petite grimace.

— C'est-à-dire au Boulevard! Je ne crois pas que ce soit possible... Il faut dire, puisque vous l'ignorez – ce n'est pas un reproche –, que je suis l'un des piliers de l'Odéon, et naturellement, j'ai un engagement de longue durée... Il faudrait payer mon dédit, qui est évidemment assez lourd...

— Mais si M. Paul Abram vous accorde un congé?

— Ça, n'y comptez pas trop... Je sais bien qu'il n'y a personne d'indispensable; mais en ce moment, il n'y a pas d'acteur dans la troupe qui soit capable de reprendre mes rôles. Vous lui en avez parlé?

— Non, pas encore. Je voulais d'abord avoir votre avis, et je vous ai apporté le manuscrit.

La sonnette des coulisses tremblota soudain. Il se leva.

— Je le lirai avec plaisir.

Il prit la brochure, et la glissa dans le tiroir de sa table de maquillage.

– Excusez-moi. La scène m'appelle. Je vous téléphonerai demain.

Paul Abram m'attendait dans son bureau.

– C'est un acteur de premier ordre, me dit-il, et un garçon sympathique. Il a de l'autorité, une belle voix, une articulation parfaite, de la sensibilité, de l'esprit. Il joue fort bien la tragédie, mais il n'a pas le physique des rôles principaux. Pas assez grand, et un peu rond... Si tu lui donnes un bon rôle, il peut faire une belle carrière au théâtre et au cinéma, et j'en serais ravi.

– Mais son dédit?

– Quatre mille francs! Je vais d'abord lui accorder un congé. Si ta pièce marche, Volterra le paiera sans discuter.

– J'ai eu l'impression que ce tragédien méprisait le Boulevard.

– Si le Boulevard l'applaudit, il méprisera mon cher Odéon. S'il ne réussit pas comme je l'espère, je le reprendrai ici.

Le lendemain, un pneumatique de Charpin m'annonçait qu'il accepterait le rôle de Panisse, « qui semblait avoir été écrit pour lui », et qu'il avait obtenu à grand-peine un congé : faveur arrachée à un Paul Abram désespéré.

Ce n'était pas tout à fait mon affaire, et je n'avais nullement l'intention de lui confier le rôle qui revenait à Raimu.

Je dînai avec Jules dans un restaurant près du théâtre, « Chez Titin ». C'était un restaurateur marseillais de la rue La Bruyère : un ancien boxeur, que les chroniqueurs sportifs du Midi avaient surnommé « L'ouragan des Alpes-Maritimes ». Avec le temps, l'ouragan s'était calmé, comme tous les oura-

gans, et il préparait désormais de parfaites bouillabaisses et des loups grillés au fenouil.

Il nous tutoyait à la marseillaise, et discutait notre
menu.

– Non, je ne te donne pas de boudin. Le soir, c'est
trop lourd. Si tu veux te rendre malade, va te
suicider dans un autre restaurant. Pour Jules, j'ai des
petits rougets, et pour toi, ce sera une caille rôtie.

C'était sans réplique possible.

– Cet après-midi, me dit Jules, je suis allé voir
jouer *Chotard*. Ce Charpin est très bien. Il sera
parfait dans le rôle de Panisse.

– Tu lui as parlé?

– Non, je n'ai pas eu le temps.

– Alors, comment sais-tu qu'il veut jouer Panisse?

– Ça me paraît tout naturel, puisque moi je joue
César.

– Mais voyons, est-ce que tu as bien lu la pièce?
César n'est qu'un épisodique, on pourrait le supprimer sans changer l'intrigue! Tandis que Panisse est
un personnage essentiel! Il a huit cents lignes,
Panisse, et César n'en a pas la moitié!

– Ça m'est égal. Je préfère César.

– Mais pourquoi?

– Parce que.

– Mais voyons, Jules, Panisse, c'est un développement de Labaume, de *L'Ecole des cocottes*... Tu as
eu un triomphe dans Labaume. Souviens-toi de ce
que t'a dit Lucien Guitry!

J'insistai longuement. Il leva plusieurs fois les yeux
au ciel, il haussa dix fois les épaules, et finit par
avouer, avec de grands éclats de voix :

– Je veux être le propriétaire du bar! Je veux que
la pièce se passe chez moi! Ton Charpin est moins
connu que moi! Ce n'est pas M. Raimu qui doit se

déranger pour aller rendre visite à M. Charpin. C'est M. Charpin qui doit venir s'expliquer chez M. Raimu... Si tu n'as pas la délicatesse de le comprendre ce n'est pas la peine de continuer la conversation.

Il but un grand verre de vin.

– César, c'est mon rôle, c'est mon emploi. Tu ne l'as pas assez mis en avant. Tu n'as qu'à m'ajouter deux ou trois scènes et tu verras ce que j'en ferai!

Tel était Raimu. Il avait des intuitions géniales, qu'il justifiait par des raisons absurdes : c'est pour lui être agréable que j'ai complété le rôle de César, que son génie a mis au premier plan.

C'est à Nîmes que je trouvai Alida Rouffe, dans les coulisses de l'Opéra. Elle y chantait Dame Marthe dans *Faust*; fille d'un mime qui fut célèbre, c'était une enfant de la balle, et elle avait tous les talents : le music-hall, la revue, la comédie, le mélodrame, et l'opéra.

Elle sortit en courant de sa loge; en me serrant au passage sur son cœur, elle me dit : « Je reviens tout de suite », et je l'entendis chanter le quatuor avec Faust, Marguerite et le Diable.

Elle revint en disant sans la moindre ponctuation :

– J'ai pris froid, j'ai la voix aussi gracieuse qu'une sirène de bateau, je me demande pourquoi ils ne me sifflent pas, qu'est-ce que tu fais ici, viens dans ma loge après le spectacle, tu me paieras la soupe à l'oignon.

Elle m'installa dans un fauteuil et nous commençâmes une conversation souvent interrompue par ses entrées en scène.

Je parlais de *Marius*, et du rôle que j'avais écrit pour elle.

Elle déclara :

– Je m'en doutais un peu, parce que Franck m'a parlé de ta pièce : il dit que c'est une merveille. Alors, ils vont la jouer à Paris?

– Oui, au Théâtre de Paris.

– C'est malheureux pour moi, parce que si tu l'avais montée à Marseille, je l'aurais jouée. A Paris, ce n'est pas possible.

– Pourquoi?

– Parce que je ne leur plairai pas. Non, sûrement je ne leur plairai pas. D'abord ils ne parlent pas comme nous, et moi, je ne comprends pas très bien ce qu'ils disent. De tout sûr, c'est réciproque.

Je lui expliquai patiemment que grâce au succès de *Topaze*, qui venait d'atteindre sa 100e, nous ne serions probablement pas trop cruellement accablés par la critique, que les Parisiens n'étaient pas aussi méchants qu'elle l'imaginait, que Raimu et Orane Demazis seraient nos têtes d'affiche, et qu'elle aurait le plaisir de retrouver dans la troupe Delmont, Dullac et Maupi.

Comme elle réfléchissait, j'ajoutai, comme un détail sans importance :

– Et Volterra te donne deux cents francs par jour.

Elle me regarda un moment de ses gros yeux noirs.

– Qui t'a dit ça?

– C'est Volterra, bien sûr.

– Il ne me connaît pas!

– Nous lui avons parlé de toi.

– Qui nous?

– Raimu, Dullac, moi.

Elle réfléchit encore.

– Je suis sûre que tu inventes ça pour me faire venir. Et après quand je serai perdue dans Paris, M. Volterra me dira : « Je t'offre cinquante francs. »

On me l'a fait à Toulouse, il y a vingt ans. C'est Ma Douleur qui me l'a fait.

— Qui est-ce Ma Douleur?

— C'était le directeur des Variétés. Il disait qu'il avait des rhumatismes dans les côtes. Ça ne se voyait pas du tout, et il buvait ses trois Pernods tous les soirs. Mais quand on venait lui demander de l'argent, il devenait tout pâle, il mettait ses deux mains sur son cœur, et il criait : « Ô ma douleur! Ma douleur! » et il tombait derrière son bureau.

— Je t'assure que Volterra n'a jamais fait ça. Il m'a chargé de te promettre deux cents francs, et il te les donnera.

— Mais alors, qu'est-ce que tu as bien pu raconter à cet homme? Tu lui as dit que j'avais du génie?

— Exactement. J'ai dit que pour ce rôle, tu avais du génie.

— Naturellement. Et quand il s'apercevra que ce n'est pas vrai, il me mettra à la porte à la deuxième répétition. Ils ont droit à cinq répétitions pour te dire oui ou non. Il verra tout de suite qu'il n'en a pas pour ses deux cents francs, et le régisseur me donnera mon billet de retour. A Marseille, on le saura. Et Franck, qui me donne cent francs – oui monsieur, cent francs –, va me dire : « Maintenant tu ne vaux plus que quatre-vingts, ou peut-être soixante!... » Non, non, je n'y vais pas. Ici, j'ai une belle petite situation, je ne vais pas la perdre pour te faire plaisir.

Le régisseur l'appela de nouveau. Je descendis en scène avec elle, et de la coulisse je l'écoutai chanter.

Elle n'était pas enrouée le moins du monde, et elle fut très applaudie. Après le dernier rideau, elle me conduisit dans une brasserie, dont le patron la tutoyait affectueusement. En mangeant la soupe à l'oignon, elle était pensive. Enfin, elle dit :

– Pour ces deux cents francs par représentation, tu me donnes ta garantie personnelle?

– Je te la donne.

– Alors, c'est possible que j'y aille. Mais je te préviens : je n'ai plus vingt ans, et je ne voyage plus en troisième classe. J'ai pris l'habitude des secondes. Je sais bien que pour un voyage pareil, ça coûte une fortune. Mais tu le diras à Volterra, j'exige des secondes.

– Ma belle Alida, tu voyageras la nuit, en première, toute seule dans un wagon-lit.

Elle me regarda un instant, puis dit tristement :

– Alors là, je ne te crois plus.

– Alida, je te jure...

– Ne jure pas, mécréant, ça porte malheur. Commande plutôt un peu de champagne et raconte-moi encore des mensonges. Je ne te crois pas, mais ça m'intéresse.

La critique parisienne lui fit un très grand accueil, et les quotidiens imprimèrent de longues louanges, signées par André Antoine, Lucien Dubech, Henry Bidou, Fortunat Strowski, Pierre Wolff, Pawlowski... Le troisième soir, j'allai dans sa loge, pendant qu'elle se maquillait, et je déposai devant elle de longues coupures du *Journal*, du *Matin*, de *L'Action française*, de *L'Humanité*, de *Paris-Midi*, de *L'Intransigeant*.

J'essayais de lui expliquer l'ampleur de son succès, et l'importance de ces grands quotidiens.

– Je sais, dit-elle, je sais. A l'hôtel, on m'en a déjà fait voir beaucoup. Ils sont bien gentils. Mais regarde un peu ce que je viens de recevoir! Regarde!

Elle me montrait une coupure, plus petite qu'une carte de visite, qu'elle avait piquée au mur au moyen d'une punaise. Au-dessus de ce petit rectangle elle avait écrit en arc de cercle, au crayon gras : « Le Petit Marseillais », et *Le Petit Marseillais* disait :

« Nous apprenons que notre concitoyenne Alida Rouffe vient d'obtenir, sur la scène parisienne, un joli succès personnel. Toutes nos félicitations. »

A la Noël, nous avions réuni tout notre monde, mais il nous manquait toujours Marius.

Léon Volterra refusait ceux que nous lui proposions : il voulait une vedette, parce que c'était le rôle du titre. Raimu, toujours soupçonneux, voyait dans ces refus une manœuvre pour retarder la première de la pièce, et il disait : « Il a probablement loué son théâtre à Verneuil jusqu'à la fin de l'année : il ne veut pas nous le dire, et il nous mène en bateau. »

Valentin, devenu notre fidèle collaborateur, répondait :

– Jules, vous vous trompez! Je vous assure que vous vous trompez!

– Oh! que non! répliquait Jules. Je le connais, moi, le gros Léon. Il a l'air d'un bébé, mais c'est un perfide! Ta pièce, il ne veut pas la jouer, et il ne la jouera pas!

– Mais alors, pourquoi l'aurait-il reçue?

– Mais pauvre enfant, pour qu'on ne la joue pas ailleurs? Il DÉTESTE les autres directeurs! Il sait que c'est une pièce extraordinaire, et il ne veut pas la leur donner!

– Mais voyons, Jules, raisonne un peu! S'il la trouve si extraordinaire, pourquoi ne la monterait-il pas?

– Mais je te l'ai dit! Parce qu'il a loué son théâtre à Verneuil!

– Tout à l'heure, tu disais « probablement ». Et maintenant tu en es sûr?

– Oui, parce que tu m'as forcé à réfléchir. Il ne la jouera PAS. Et moi, il continuera à m'envoyer faire le pitre à Marigny, dans la forêt des Champs-

Elysées. D'ailleurs, ce n'est pas un théâtre. C'est un ancien pavillon de chasse, du temps où ils couraient après les sangliers, avec les piques, entre la rue Pierre-Charron et l'avenue George-V. Et je te dis qu'il ne la jouera JAMAIS.

Huit jours plus tard, comme notre directeur refusait encore une fois un Marius, Raimu éclata en vociférations tonitruantes, dans le hall vide du Théâtre de Paris. Il accusa Léon d'hypocrisie, Valentin de tartuferie, et moi-même d'imbécillité.

Léon écoutait cette diatribe avec une indifférence glacée en faisant craquer un beau cigare près de son oreille. Il l'alluma posément, puis sans mot dire, il tourna le dos à Raimu, et s'éloigna d'un pas de promeneur.

Le soir même, après la première d'une revue à grand spectacle, j'étais assis près de Volterra dans le hall du Casino tandis que la foule s'écoulait. Il me dit :

– Tu le crois, toi, comme cet imbécile, que je ne veux pas jouer ta pièce?

– Je ne le crois pas, mais je constate que nous n'avançons pas... S'il y a quelque chose qui vous gêne dans cette affaire, renvoyons-la à la rentrée.

– C'est-à-dire que tu penses que je refuse tes Marius systématiquement. Bon. Eh bien, finissons-en. Dis-moi un nom, et je l'engage immédiatement.

J'hésitai un moment. Les arguments de Léon étaient valables. Les spectateurs allaient s'intéresser à ce Marius, dont le nom était le titre de la pièce. Le rôle était très important. Il était en scène toute la soirée... Je vis tout à coup passer dans la foule un jeune homme, qui me dit bonjour de la main : c'était Fresnay. Je m'élançai vers lui, le pris par le bras, et l'amenai, tout surpris, à Volterra.

– Le voilà, dis-je. C'est lui que je veux.

— Tu me veux pour quoi? dit Fresnay.

— Pour jouer Marius. Assieds-toi. Est-ce que tu es libre?

— En principe oui. J'ai des propositions, mais je n'ai encore rien signé.

— C'est une idée, dit Léon. Garçon, apportez-moi une feuille de papier.

Pierre s'était assis.

— *Marius*, dit-il, c'est une tragédie?

Je lui exposai notre affaire.

— Tu sais que je n'ai pas l'accent marseillais, dit-il. Mais il est possible que je puisse le prendre. C'est à voir.

— Quel est votre prix? demanda Léon.

— Mille francs par jour.

— C'est cher, mais je suis d'accord. Accepterez-vous de passer après Raimu sur l'affiche? Son contrat lui donne la première vedette.

— Cela m'est égal, dit Fresnay. D'ailleurs, il est plus âgé que moi.

— Dans ce cas, c'est fait, dit Léon.

Je rédigeai un contrat de cinq lignes, que Léon signa sans dire un mot; mais Fresnay repoussa la plume que je lui tendais.

— Je vous demande la permission de ne pas signer tout de suite. Il faut d'abord que je lise la pièce, pour voir si le rôle est de mon emploi, puis que j'essaie mon accent. Je ne veux pas aller à un désastre.

— Je vous comprends, dit Léon. Prenez toujours le contrat. Quand me le rendrez-vous signé?

Fresnay réfléchit un instant.

— Pas avant dix jours. J'ai mon idée.

— Bon, dit Léon.

Valentin, qui regardait la scène de loin, paraissait soucieux.

Le lendemain, à midi, je reçus un pneumatique de Raimu.

Lorsqu'il était en colère il prenait un gros crayon bleu, et rédigeait, d'une écriture énorme et furieuse, des messages agressifs.

Dans ces occasions, quoiqu'il fût assez instruit, il oubliait des lettres, parfois des mots, et il malmenait l'orthographe en même temps que le destinataire :

« Ça, c'est un combe. Marius, un Alzatien! C'est un bon acteur, mais il est Alzatien! C'est de la folie! On veut te saboter ta pièce. Et toi, comme le ravi de la crèche, tu te laisses faire par Volterra! Oh il est fort, il est très fort! »

Suivait une grande signature, puis un post-scriptum :

« De plus, il est PROTESTANT. Je déjeune chez Titin. »

C'est là que je trouvai Jules, qui visiblement m'attendait, car à ma vue il cria :

— Titin, mets la bouillabaisse au feu!

Je l'attaquai aussitôt sur son point le plus faible :

— Pourquoi reproches-tu à Fresnay d'être protestant?

— Je ne reproche pas, je constate.

Il prit aussitôt la mine d'un quaker d'autrefois, et dit d'une voix sans timbre, les yeux baissés, et serrant les narines :

— Les protestants, ce sont des gens sévères, des gens tristes, qui ne plaisantent pas, qui ne rient jamais...

— Tout justement, Fresnay rit volontiers... Moi je l'ai vu rire, oui, parfaitement.

— Ho ho! dit Jules triomphal, si tu l'as remarqué, c'est qu'il rit une fois par mois. Et d'ailleurs, c'est bien simple : les protestants ne sont jamais patrons de bar! Leur religion le leur défend.

— Où as-tu pris ça?

— Je le sais, et tout le monde le sait.

– Eh bien, moi, je ne le sais pas.

– Tu as beau avoir été professeur, tu ne sais pas tout. On n'apprend pas ça dans les écoles.

– Mais toi, dis-moi où tu l'as appris!

Il appela Titin à son secours.

– Titin, est-ce que tu connais un patron de bar PROTESTANT?

Titin était prudent, et la question était posée sur un ton presque menaçant.

– Non, dit-il, je n'en connais pas.

Puis, il se tourna vers moi, et ajouta, comme un aveu :

– Mais je n'en connais pas non plus de catholique... Il faut dire qu'entre nous on ne parle guère de ces choses-là.

– Comment! cria Jules indigné, mais toi, toi, est-ce que par hasard tu ne serais pas baptisé?

Titin se hâta de répondre :

– Voui, voui, moi je suis baptisé! Baptisé à l'église!

– Donc, quand tu dis que tu ne connais pas un patron de bar catholique, tu MENS.

– Mais on ne parle pas de moi!

– Mais si! dit Jules, puisqu'on parlait des patrons de bar! Ici, ce n'est pas une sacristie, ce n'est pas une clinique, c'est un bar! Et en plus, en plus, ce PROTESTANT est alsacien!

– Ô malheur! dit Titin. Marius alsacien! C'est pas possible!

– Eh bien, monsieur a engagé M. Fresnay, très bon comédien, mais alsacien et protestant pour jouer Marius! Et en plus, en plus, c'est un tragédien de la Comédie-Française!

Titin, consterné, se prit la tête à deux mains, et s'enfuit vers sa cuisine en gémissant des « Oyayaïe! ».

– Jules, parlons sérieusement.

– Je ne fais que ça depuis une heure!

– Ton histoire de protestant ne tient pas debout. Ce qui est plus grave, c'est le fait qu'il ne soit pas de chez nous.

– C'est toujours très difficile de prendre l'accent marseillais dans un rôle aussi long. Pour un Alsacien protestant de la Comédie-Française, c'est impossible.

– Ce n'est pas sûr. En tout cas, il comprend parfaitement la difficulté de la chose.

– Il ne comprend pas, puisqu'il a signé!

– Volterra a signé. Lui, non. Il a demandé quinze jours pour travailler son accent. Si nous n'en sommes pas satisfaits, il rendra sa signature à Léon.

– Moi je dis qu'il ne la rendra pas, parce qu'il croira qu'il a l'accent marseillais.

– Il accepte que nous en soyons juges. Et d'autre part, il accepte de passer après toi sur l'affiche.

Je savais que cette question devait le tourmenter, et qu'elle était sans doute pour quelque chose dans la querelle.

– Tu as vu son contrat?

– C'est moi qui l'ai rédigé. Et d'ailleurs, tu sais bien que toi-même tu dois avoir la première vedette?

– Je dois l'avoir dans les revues; mais il n'est pas question des pièces de théâtre. J'avais peur que Léon discute là-dessus, avec sa perfidie habituelle.

– Il m'a prouvé sa « perfidie » en affirmant à Fresnay qu'il t'avait garanti la première vedette dans tous les cas.

Il se radoucit visiblement.

– Quoique ce soit tout naturel, ça prouve qu'il est raisonnable... Enfin, ce qui est fait est fait.

Titin nous apportait la bouillabaisse, en disant :

– Je le connais, moi, ce Fresnay. C'est un garçon

de premier ordre. Il est beau, sympathique, et poli! Il ne vous dirait pas merde sans lever son chapeau!

Jules réfléchit un instant, et dit :

— Après tout, on peut essayer. Nous lui donnerons des leçons d'accent... Tu devrais lui téléphoner, et lui demander s'il ne peut pas dîner avec nous ce soir.

Une servante me répondit :

— Monsieur est parti ce matin pour Marseille.

Quinze jours plus tard, c'était la première répétition. Je lus la pièce aux acteurs, sur le plateau, devant le théâtre vide. Fresnay n'était pas encore arrivé.

A cinq heures, la répétition commença. Je lisais le rôle de Marius. Nous cherchions les places, le mouvement, lorsque Fresnay entra. Il portait le tablier bleu du patron de bar, un accroche-cœur esquissé sur le front, une cigarette sur l'oreille, un petit mouchoir noué autour du cou. Il alla s'installer derrière le comptoir, et tout en rinçant un verre, il dit :

— Si je ne puis pas offrir une tasse de café, qu'est-ce que je suis ici?

Jules devint instantanément César, et répliqua avec force :

— Tu es un enfant, un enfant qui doit obéir à son père. Moi, il a fallu que j'attende l'âge de trente-deux ans, pour que mon père me donne son dernier coup de pied au derrière. Voilà ce que c'était que la famille, de mon temps. Il y avait du respect, et de la tendresse.

Fresnay fit un petit sourire, et à mi-voix, il répliqua :

— A coups de pied.

Il parlait avec l'accent inimitable du Vieux-Port. Alors Jules se tourna vers moi, et dit :

— Ça y est. C'est gagné.

Ces quinze jours d'absence, il les avait passés dans

un petit bar du Vieux-Port, après avoir gagné l'amitié du garçon, qui était, comme Marius, le fils du patron. Il avait essuyé des tables, rincé des verres, et pris part à ces conversations marseillaises où des inconnus vous racontent leur vie qui est toujours « un véritable roman ». Au départ, il avait emporté – en souvenir – le tablier bleu et la casquette du garçon : il devait les porter tous les soirs pendant trois ans, avec un accent marseillais si naturel qu'il lui fallut plusieurs années pour s'en délivrer.

L'atmosphère des répétitions fut merveilleusement amicale. Raimu menait le jeu avec une aisance et une patience qui étonnèrent Volterra, et il avait voué au « protestant de la Comédie-Française » une amitié véritable, et presque respectueuse; la troupe provençale faisait retentir les couloirs de cris et d'éclats de rire qui réjouissaient le cœur de Valentin et lorsque le régisseur n'avait convoqué que deux ou trois comédiens pour répéter une scène importante, tout le monde, et même les machinistes inutiles, venait au théâtre pour y assister.

Volterra n'y paraissait pas lui-même, ni la Patronne : ils avaient décidé d'attendre que la mise en scène fût en place, afin de juger notre travail dans son ensemble et son mouvement.

Le billet de service annonça un soir que nous répéterions le lendemain les trois premiers actes en costumes, avec les accessoires et en présence de la direction.

Dans les manuscrits distribués aux acteurs, j'avais supprimé la partie de cartes. D'abord parce que la pièce était trop longue : il fallait faire des coupures; d'autre part, cette partie de cartes n'était qu'un « sketch », qui eût été à sa place sur la scène de l'Alcazar de Marseille, mais qui me paraissait vulgaire, et peu digne du théâtre qui avait été celui de

Réjane. Contrairement à mon attente, Raimu n'avait pas protesté contre la disparition de la scène et je pensais qu'il en avait oublié l'existence.

Lorsque j'arrivai au théâtre, une certaine nervosité régnait sur le plateau pendant les derniers préparatifs. Raimu examinait les costumes et les maquillages, Fresnay et Demazis jouaient une scène à mi-voix dans la coulisse, Charpin serrait et desserrait la courroie qui tenait en place son faux ventre, en murmurant, sur des intonations différentes, la même réplique, l'accessoiriste apportait en courant les verres à bière et l'éponge du comptoir. Cette agitation me parut naturelle, car j'étais moi-même très inquiet, mais il me sembla qu'il y avait du mystère dans l'air, car Raimu, Charpin, Dullac et Fresnay échangeaient des regards complices et des clins d'yeux souriants.

Volterra et la Patronne s'installèrent à l'orchestre, et j'allai m'asseoir près d'eux. Derrière nous, M. Pothier, administrateur du théâtre, Valentin et ses machinistes, et les figurants des deux premiers actes formaient un petit public.

Malgré quelques accrochages, tout se passa fort bien jusqu'à la fin du second acte, et j'allai dans les coulisses pour féliciter tout le monde.

— Attends le trois, dit Raimu : il est encore mieux que les deux premiers. Ce n'est pas votre avis, Fresnay?

— Je suis sûr qu'il fera un gros effet!

— Tu vas être étonné, dit Charpin. Ce n'est pas encore tout à fait au point, mais c'est déjà très bon. Va t'asseoir, et ne crie pas.

Ce conseil me parut singulier.

Je regagnai ma place. Pendant qu'on frappait les trois coups, Léon serra mon bras, et dit avec force :

— Ecoute d'abord!

Encore un conseil mystérieux; mais comme j'allais

lui en demander le sens, le rideau se leva sur la partie
de cartes.

Tout au long de la scène, Valentin, Léon, la
Patronne, M. Pothier, et les machinistes firent de
grands éclats de rire : à la fin, ils se levèrent pour
applaudir les comédiens, et Valentin criait « Bis!
bis! » Je vis bien qu'ils exagéraient un peu leur
enthousiasme pour me convaincre.

Puis Raimu, d'un air innocent, s'avança jusqu'à la
rampe, et me dit gravement :

– Ta dactylo est une criminelle! Imagine-toi
qu'elle avait oublié de taper cette scène. Heureusement, nous l'avions dans le manuscrit de Léon. On
n'a pas voulu t'en parler pour ne pas t'inquiéter!

Cette déclaration fut accueillie par de nouveaux
éclats de rire. Je répliquai :

– C'est aussi pour ne pas m'inquiéter que vous ne
l'avez jamais répétée devant moi?

– C'est que nous l'avons répétée le matin, pendant
huit jours. On n'a pas voulu te déranger et Léon est
venu à ta place!

Je pris le parti de rire avec eux, puis je dis :

– Mais si nous gardons cette scène, je ne vois pas
ce que nous allons couper?

Jules descendit dans la salle.

– Puisque tu me demandes mon avis, je crois
qu'on pourrait – je ne dis pas « couper » – mais « ne
pas jouer » la longue scène sur la jetée...

– Naturellement! Tu veux rétablir la partie de
cartes, parce que tu en es, et couper la jetée parce
que tu n'en es pas! Je voudrais bien savoir ce qu'en
pense Charpin!

– Moi, dit maître Panisse, si tu es d'accord, moi
aussi. Mon rôle me plaît dans la partie de cartes,
tandis que sur la jetée, je suis un peu gêné, parce
qu'elle ressemble à ma scène du quatrième acte...

Alors, tu pourrais reprendre quelques répliques qui me plaisent, et les placer dans la scène du quatre?

Ainsi fut fait, à la satisfaction de tous. Je n'ai pas eu lieu de m'en repentir.

L'avant-veille de la générale, un Parisien, ami de Volterra, fut autorisé à assister à une répétition : c'était notre premier spectateur. Du fond d'une loge, je surveillais ses réactions avec le plus vif intérêt.

C'était un monsieur élégant, aux manières distinguées, qui portait un monocle. Il s'était installé au milieu de l'orchestre.

Je le vis vaguement sourire, deux ou trois fois, et sur des répliques qui n'étaient nullement comiques.

A la fin du premier acte, j'allai m'asseoir près de lui. Il ne me connaissait pas, et me prit sans doute pour un régisseur.

Je lui demandai :

— Est-ce que cette pièce vous intéresse?

Il remonta son sourcil, pour libérer le monocle, sourit et dit :

— Je crois qu'elle me plairait, si je comprenais ce qu'ils disent.

— Vous trouvez qu'ils ne parlent pas assez haut?

— Non, ce n'est pas ça... Mais il y a des tournures de phrases très incorrectes, et puis, cet accent qui déforme les voyelles... J'ai beaucoup de peine à suivre. Nous sommes bien loin de Claudel!

Je fus consterné; mais la voix de Jules retentit. Il était occupé à mettre en place quelques accessoires pour le second acte, tandis que Charpin traçait à la craie, sur le plancher, des croix de repère. Jules voyait tout, entendait tout, devinait tout. Il cria solennellement, comme si j'étais à cent mètres de lui :

— N'écoute pas ce que dit ce monsieur. Il est célèbre pour sa bêtise. Oui, monsieur. Vous, monsieur, oui. Je savais que vous êtes bête, mais je ne savais pas que vous étiez sourd!

Puis, avec une colère subite, il hurla :

– Mais qui est-ce qui a permis à cet imbécile de venir nous espionner? Ici, c'est un théâtre, ce n'est pas une sinécure!

Il fit deux pas en arrière, et leva la tête vers les cintres.

– Baissez le rideau! On continuera quand ce borgne sera parti!

Comme le rideau descendait, l'homme au monocle se leva, sourit faiblement, haussa les épaules, et sortit.

Le soir de la répétition générale, le public écouta les deux premières scènes dans un silence méfiant. Jules, furieux, s'avança jusque sur la porte du bar, en feignant de regarder le Vieux-Port, et chuchota :

– Ils ont envie de rire, mais ils ne veulent pas! Mais on va les avoir. Ne t'inquiète pas.

Je m'inquiétais beaucoup, au contraire, et je pensais au Parisien expulsé, lorsque j'entendis un immense éclat de rire : Jules venait de les avoir en composant un Picon-citron-curaçao.

La salle dégelée, le succès fut grand. Paris découvrait Raimu, qui ne se connaissait pas lui-même, l'émotion et la sincérité d'Orane Demazis, la maîtrise de Fresnay, l'autorité souriante de Charpin, le pittoresque et la justesse de ton des Marseillais.

Je ne crois pas que l'on ait jamais vu une pièce aussi parfaitement interprétée et le succès, dans la presse et dans le public, fut immédiat : c'est aux comédiens que j'en dois la meilleure part.

J'allai voir Raimu dans sa loge; il était stupéfait : à la fin de la pièce, on lui avait fait une véritable ovation.

– Je n'y comprends rien, dit-il. Dans ce rôle, je dis le texte, rien de plus, je parle comme à la maison, et tout d'un coup, c'est un triomphe! Je me demande pourquoi!

Volterra entra, les mains dans les poches, mâchonnant un cigare. Il ne lui fit aucun compliment, mais il demanda :

– Combien gagnes-tu chez moi?

– Cinq cents francs par jour.

– A partir de ce soir, ce sera mille.

Jules, pantois, les sourcils haussés, la bouche entrouverte, le regarda sortir. Il se tourna vers moi, et murmura :

– Qu'est-ce que ça veut dire?

– Comme d'habitude, mon pauvre Jules : encore une PERFIDIE...

L'entrée d'une foule de critiques et d'amis le dispensa de me répondre.

Le succès, au théâtre, tombe sur une pièce comme un orage : nous « refusions du monde » tous les soirs.

« Refuser du monde! » Rêve du vieux Lehmann, notre contrôleur, qui en avait pourtant le cœur brisé... C'est afin d'en refuser moins que, malgré les règlements de police, et sans rien en dire à personne, mais avec la complicité de Valentin, il avait installé devant les loges d'orchestre une rangée supplémentaire de strapontins frauduleux.

Malheureusement, l'un d'eux était situé juste au-dessus d'une bouche de chaleur.

– Remarque bien, me dit-il, que je le loue le dernier, et pas à tout le monde. Pas aux dames, à cause des robes : à la fin du premier acte, elles seraient momifiées. Pas aux messieurs trop gros : s'ils tombaient d'un coup de sang, ça dérangerait la représentation. Je le loue surtout aux grands maigres : ils s'épongent le front, de temps en temps ils poussent des soupirs, mais ils tiennent le coup jusqu'au bout.

– Ils ne viennent jamais se plaindre à la sortie?

– Jamais! Eh bien, moi, je dis que ta pièce est formidable, parce que pour garder un homme, pendant trois heures, sur un strapontin à vapeur, il n'y a que *Cyrano* et *La Dame aux camélias.*

Les échotiers et les courriéristes ont souvent parlé de Raimu, et presque toujours sur un ton déplaisant.

A force de brocarder son avarice, elle était devenue proverbiale. Cette réputation était due à plusieurs causes. La première c'était qu'il refusait – avec d'humiliantes injures – de subventionner les petits journaux et qu'il éconduisait les « tapeurs », sans le moindre ménagement, ce qui me paraît être la sagesse même.

Enfin, il était victime, comme tous les gens connus, de racontars et d'impostures.

J'ai entendu, de mes oreilles, des gens lui reprocher – en son absence – de n'avoir pas payé l'apéritif « d'honneur », auquel ils étaient venus eux-mêmes l'inviter. Enfin, la légende étant née, on interprétait tous ses actes comme inspirés par une avaricieuse férocité.

Un jour à la terrasse du Fouquet's – que Raimu appelait « mon bureau », – un garçon très intelligent, mais affligé d'une haleine empestée, l'accusait – toujours en son absence – d'avarice et de ladrerie.

J'allai aussitôt demander à ce gentilhomme sur quelles preuves il fondait son accusation.

– Monsieur, dit-il, je lui ai rendu pas mal de services, gratuits – pour des affaires juridiques – mais il ne m'a jamais invité à dîner. Non, jamais. Alors, je l'ai invité moi-même; il a *refusé*, sous je ne sais plus quel prétexte, mais j'ai fort bien compris pourquoi : il a refusé, parce qu'il craignait d'être obligé de me rendre mon invitation! Avouez que c'est mesquin. Mais finalement, je ne lui en veux pas : j'aime mieux en rire!

Il s'approcha de moi, et me fit en pleine figure un tout petit éclat de rire, qui m'asphyxia.

Ce qui était vrai, c'est que Raimu avait un étrange appétit pour tout ce qui était gratuit.

Un soir, la grande Elvire Popesco nous avait invités à dîner tous les deux dans un restaurant de la Madeleine en vue de la réalisation d'un film que nous n'avons malheureusement pas fait. Ce fut un repas riche et plaisant.

Jules, comme d'habitude, avait dans la poche extérieure de son veston deux beaux cigares, dont l'extrémité supérieure était assez visible.

Au café, Elvire, toujours seigneuriale, fit apporter une boîte de havanes qui resta ouverte sur la table. A la vue des cigares, les yeux de Jules brillèrent : par un mouvement savamment amené, il mit la main sur son cœur pour cacher les siens, et prit un havane dans la boîte.

Elvire avait vu ce manège aussi bien que moi. Grande dame, et respectant son invité, elle continua fort sérieusement la conversation; mais il était bien difficile à Jules, une main sur le cœur, de trancher le bout du havane et de l'allumer.

Il y parvint cependant (car il avait des talents de prestidigitateur) en utilisant ses deux mains, mais sans déplacer la gauche, toujours suspendue à la hauteur du cœur, puis en regardant fixement Elvire, comme s'il voulait l'hypnotiser, et soufflant de petits nuages de fumée pour voiler sa main gauche, selon la technique des batailles navales, il essaya, du bout de son index, de séparer les émergences des cigares indiscrets, et de les pousser l'un vers la droite, l'autre vers la gauche, en espérant que leur obliquité les raccourcirait, et les ferait enfin disparaître. Cette opération difficile dura un moment, tandis que Jules parlait d'abondance, comme font les illusionnistes lorsqu'ils vont tirer des lapins vivants d'un chapeau de soie. Nous l'écoutions en silence; mais cette main, que nous ne pouvions pas quitter des yeux, fit de si étranges contorsions qu'Elvire fut tout à coup secouée par une crise de fou rire qui commença par un long cri, et qui alla jusqu'aux larmes; je ne pus y résister moi-même, et Jules, inquiet, demanda : « Qu'est-ce que j'ai dit de si drôle? »

L'illustre comédienne, en essuyant ses yeux et roulant délicieusement les r, répliqua :

– Cher ami, vous vous donnez bien du mal pour nous cacher les deux cigares qui sortent de votre poche!

Jules joua la surprise à la perfection, baissa les yeux, découvrit les cigares, et s'écria sans la moindre confusion :

– Mais c'est vrai! Eh bien, ils doivent y être depuis longtemps... Depuis... (il feignit de réfléchir). Depuis le déjeuner chez Volterra, le mois dernier! C'est la dernière fois que j'ai mis ce costume... Et aujourd'hui, je ne me suis pas aperçu que...

Elvire, avec cette vivacité foudroyante qui surprend toujours le spectateur, s'écria avec des r particulièrement durs :

– Grand menteur! C'est parce que tu ne t'es pas aperçu que tu gardes la main sur le cœur comme une angine de poitrine? Tiens, puisque tu les aimes tant, je te fais cadeau de la boîte!

En riant, elle poussa les havanes vers lui. Jules protesta, mais d'un air navré.

– Oh! Vous allez tout de même pas croire que pour un cigare... J'en ai vingt bocaux chez moi, des Upman boîte ronde... C'est pour me taquiner que

vous dites ça? Vraiment, une supposition pareille...
Surtout que ces havanes, à mon goût, ça ne vaut pas
les miens...

– Allons, dit Elvire, c'était pour rire... Il est onze
heures : parlons du film.

Nous en parlâmes. Jules regardait les cigares. En
partant, il mit la boîte sous son bras.

Non, ce n'était pas de l'avarice, mais une sorte de
manie enfantine, qui lui a souvent coûté très cher.
Des producteurs de cinéma bien informés l'ame-
naient à baisser son prix de cinquante mille francs en
lui garantissant la disposition GRATUITE d'une
voiture et d'un chauffeur pendant la durée du tour-
nage (ce qui n'en valait pas dix mille) et la fourniture
GRATUITE, chaque matin, de quatre cigares dont
la marque, la taille et la qualité étaient soigneusement précisées.

Parfois, il en exigeait six, accordés après discussion, et ces victoires dérisoires le rendaient heureux
comme un enfant.

Pour la vie quotidienne avec ses amis, il était aussi
généreux qu'un autre. Bien souvent, pendant les
vacances, dans sa belle villa de Bandol, il invitait
Doumel, le raconteur d'histoires marseillaises qui
s'était ruiné dans l'exploitation irrationnelle d'un
restaurant, il le nourrissait grandement et le logeait
dans une vaste chambre ouverte sur la mer. De plus,
il lui donnait cinq francs par jour d'argent de poche.
Doumel, que l'infortune n'avait pas abattu, s'amu-
sait à table à casser, sur sa propre tête, les assiettes
du déjeuner.

A la cinquième ou sixième Jules se fâcha; Doumel,
ricanant, en cassa une autre.

– Bien! dit Jules, celle-là, tu la paieras! Demain
matin, je te retiendrai trois francs sur ton argent de
poche.

Il tint parole. Doumel, outré, raconta cette affaire, je ne sais pas en quels termes, mais je sais qu'elle parvint au Fouquet's sous la forme suivante :

– Votre ami Raimu est d'une ladrerie incroyable. Il avait invité Doumel à déjeuner. Doumel a cassé une assiette : Raimu *la lui a fait payer trois francs!*

Dans cette villa de Bandol, face à la mer latine, nous étions souvent dix ou douze à sa table, car il aimait la compagnie.

Il préparait lui-même des bouillabaisses démesurées (une livre de rascasses par personne, sans compter la baudroie, le congre et le saint-pierre) ou plus souvent un pot-au-feu majestueux : faute de marmite assez grande, il le cuisait dans une lessiveuse.

Je le revois, un bonnet de chef sur la tête, sa montre dans une main et brandissant de l'autre une petite fourche infernale, pour extraire du bouillon fumant les quartiers de viande qu'il jugeait assez cuits, tout en chantant *La Bergère volage*, qui n'est pas une ronde enfantine.

Avec Henri Poupon, Delmont, Maupi, Paul Olivier, nous répondions par le Chœur des libidineux vieillards...

Oui, c'était un bon compagnon et s'il paraissait parfois antipathique aux gens qui ne le connaissaient pas, c'était à cause d'une méfiance toujours en éveil, et d'une peur maladive d'être dupe.

Il est vrai aussi qu'il avait fâché bien des gens par ses colères explosives.

J'avais cependant trouvé une astuce pour lui donner la réplique non pas en criant aussi fort que lui, car je n'en avais pas les moyens, mais en lui répondant, presque à mi-voix, de petits sarcasmes prémédités.

Je lui avais appris un jour que son nom véritable, Muraire, n'était autre qu'un mot provençal, *mou-*

raïré, qui signifie celui qui « fait le mourre », « l'embêteur », pour ne pas dire mieux.

Quand il commençait à crier, je le regardais tristement, et je lui disais : « Jules, méfie-toi. Voilà le sang des Muraire qui prend le dessus... Si tu continues à crier comme ça, un de ces jours tu te réveilleras entre deux infirmières avec un œil plus grand que l'autre, la bouche tordue, et le menton sous l'oreille. Dis-moi ce que tu veux, et ce sera fait. »

Désarmé, il haussait les épaules, et sortait dans la cour des studios à la recherche d'une autre colère dont il avait vraiment besoin. Je ne dis pas que ces crises étaient simulées, mais il me semble qu'elles étaient voulues et dirigées, et qu'il y prenait plaisir. En tout cas, je ne l'ai jamais vu faire de mal à personne.

La base même, le socle de son talent, c'était sa personnalité, c'était lui-même.

Avant le film parlant, il était à peu près inconnu, hors Paris et Marseille, mais lorsque au hasard des routes nous entrions dans un restaurant à Sens, à Mâcon, à Montélimar, tous les regards se tournaient vers lui, et je voyais des gens qui appelaient le garçon, pour lui demander à voix basse : « Qui est-ce ? » De même sa seule présence emplissait d'un seul coup la scène ou l'écran.

Malgré sa masse et son poids, il avait une sensibilité presque féminine, qu'il exprimait en scène avec une émouvante pudeur. Toujours naturel, parfois grossier, jamais vulgaire.

Sa voix puissante était un orgue, dont il jouait en virtuose : ses chuchotements allaient jusqu'au fond de la salle, ses cris faisaient trembler le lustre, et ses changements de ton imprévus au milieu d'une scène comique arrêtaient net la gaieté du public, et saisissaient le cœur des spectateurs d'une émotion discrète mais profonde, jusqu'à ce qu'un autre changement de ton fît rejaillir d'interminables éclats de rire.

Ses prodigieux moyens d'acteur s'appuyaient sur une science du métier acquise au music-hall, dans le sketch, le monologue, le tour de chant, puis dans l'opérette et la comédie légère des Boulevards. Il avait le don de l'imitation, jusque dans ses mains et son visage. Quand il parlait de quelqu'un qu'il n'aimait pas, il transformait miraculeusement son front, ses yeux, sa bouche, son menton, et devenait lui-même une caricature vivante et reconnaissable de l'absent, dont il prenait alors le regard et la voix. Il eût été un clown de cirque incomparable, ou un Polonius, un don Diègue, un Narcisse, un Yago, un Bartholo, un roi Lear.

Sur la scène de la Comédie-Française, dans un milieu qui n'était pas le sien, et dans lequel il détonnait, il nous a rendu Molière dans *Le Bourgeois gentilhomme*, puis il a pris la fuite sous les bravos, épouvanté par le sérieux et la routine de la Maison.

En 1946, un accident d'automobile le retint deux mois en clinique avec une jambe cassée. Il en sortit parfaitement guéri et joyeux; mais un jour de septembre il me téléphona : « Je suis encore dans une clinique, mais ce n'est pas grave. Viens me voir. »

J'accourus.

Il était assis dans son lit, et s'était fait un turban d'une serviette-éponge : on eût dit un gigantesque brahmane.

Il discutait avec son infirmière, une charmante jeune femme : elle refusait d'ouvrir une bouteille de whisky que Paul Olivier venait de lui apporter. Il en buvait d'ordinaire fort peu, mais il prétendait ce jour-là que deux gorgées lui donneraient plus d'assurance pour aller jusqu'à la table chirurgicale. Elle refusait énergiquement.

— Pas d'alcool avant une opération. La consigne est formelle. Vous êtes à jeun, un doigt de whisky peut vous enivrer. Vous en boirez demain, si vous voulez, mais pas aujourd'hui.

Jules me la montra du doigt, et dit :

— C'est une mégère, et je plains son mari de tout mon cœur!

— Je n'ai pas de mari, dit-elle.

— Tant mieux! dit Jules. Tant mieux pour lui!

Le ton de cette conversation me rassura. Jules me parla de l'opération, une opération banale et bénigne, qui ne demanderait que huit jours de clinique. Puis l'infirmière me dit qu'il était temps de me retirer, parce que l'heure des chirurgiens allait sonner.

Comme je lui faisais mes adieux, il me dit tout à coup :

— Embrasse-moi.

Je fus surpris. Il nous arrivait très souvent de ne même pas nous serrer la main, et de continuer sans préambule la conversation de la veille.

Je l'embrassai.

J'allais sortir, il demanda :

— Où déjeunes-tu?

— Chez Langer, avec Roger-Ferdinand.

— Après l'opération, je te téléphonerai.

— Si on vous le permet! dit l'infirmière.

— Quoi? cria Jules. Ici, on ne parle que de permettre ou de défendre! C'est une caserne! C'est un bagne! Ne t'inquiète pas : je te téléphonerai.

A midi et demi, on vint m'appeler à table. Je pensai qu'il n'était pas encore éveillé, mais que la serviable infirmière allait me donner de ses nouvelles.

C'était une voix inconnue, une voix de femme.

196

– Le cas de M. Raimu était beaucoup plus grave qu'on ne vous l'a dit. L'opération a duré deux heures. Il ne s'est pas réveillé.

– Vous voulez dire pas encore?

Il y eut un silence tragique. Puis la voix murmura :

– Non. Il ne se réveillera plus.

En 1938, j'avais réalisé un film, *La Femme du boulanger*, d'après un très beau chapitre de *Jean le Bleu*, de Giono. Raimu était en tête de la distribution, qui comprenait en outre plusieurs membres de la troupe de *Marius*, Alida Rouffe, Dullac, Maupi, Delmont, Vattier, Charpin. Ce film était parti pour les Etats-Unis en 1939 : pendant la guerre, je n'en reçus point de nouvelles.

En 1946, à la fin de septembre, un beau géant américain entra dans mon bureau et me dit :

– Je suis Orson Welles. J'arrive des Etats-Unis, et je voudrais avoir l'adresse du comédien Raimu. J'ai vu plusieurs fois votre film, *La Femme du boulanger*, et j'aimerais avoir l'honneur de lui serrer la main.

– Ce n'est malheureusement pas possible : il est mort la semaine dernière.

Je vis sur son visage une sincère émotion.

– Je ne peux pas le croire.

Je lui fis le récit de notre malheur. Longuement, car il voulut tout savoir. Enfin, il se leva, et alla regarder un grand portrait de Raimu que j'avais fait accrocher au mur. Puis il se tourna vers moi.

– C'est un malheur pour vous, dit-il, mais c'est aussi un malheur pour notre art : c'était le plus grand acteur du monde.

Quelques mois plus tard, ce fut Aldo Fabrizzi qui vit le portrait : dès son entrée, il marcha vers la grande image, et se découvrit solennellement. Lui aussi regarda longtemps le visage de César, en hochant la tête doucement, puis il dit :

– C'est une perte grandissime. Oui, grandissime.

Je vis briller des larmes dans ses yeux.

Il ajouta :

– D'autres comme lui, on n'a jamais vu. Il était le premier du monde.

Je le savais : mais Raimu ne l'a jamais su.

La vraie gloire est lente à venir. C'est en 1929 qu'il s'était révélé, et sa véritable carrière n'a duré que seize ans, dont quatre ans de guerre. Sa fin prématurée l'a privé, et nous a privés des dix plus belles années de son génie.

Par bonheur, il nous reste ses films.

Il m'arrive parfois d'assister à une projection de *Marius* dans une salle de quartier ou de province. De toute l'admirable troupe, il ne reste que quatre survivants : les trois plus jeunes, Orane Demazis, Fresnay, Robert Vattier, et un ancien : Mihalesco.

Pourtant, je n'ai pas l'impression d'une visite dans un cimetière : tous les personnages vivent sur l'écran d'une vie pareille, et personne dans le public ne pourrait deviner quels sont les vivants, quels sont les morts.

Pendant que Fresnay mange son croissant, le grand Jules lance toujours ses noyaux d'olive n'importe où, le gros Dullac, mort véhément, exprime toujours clairement les sentiments de la marine française; Mihalesco vivant prend la fuite devant Alida Rouffe, et Charpin mort, à Demazis vivante, propose encore le mariage... Ce ne sont pas des disparus : leur voix sonne comme autrefois, ils font de beaux éclats de rire, le public rit avec eux : et ces rôles, qu'ils ont incarnés si longtemps pendant leur vie, ils les ont joués cent fois plus souvent depuis leur mort : ils exercent toujours leur art, ils font encore leur métier...

C'est là que j'ai pu mesurer la reconnaissance que nous devons à l'art magique qui ranime le génie éteint, qui rend sa jeunesse à l'amoureuse, et qui garde à notre tendresse le sourire des amis perdus.

5

FANNY

1931

Pendant les représentations de *Marius* mon ami Lehmann, qui présidait le contrôle de la « boîte à sel », m'avait souvent conseillé d'écrire la suite de *Marius*.

— Tous les soirs, me disait-il, tous les soirs depuis deux ans, il y a deux ou trois spectateurs qui réclament une suite, parce que ça ne peut pas finir comme ça, c'est trop triste... Alors moi, pour les consoler, je leur dis que tu as commencé à écrire la suite, et que ça sera encore mieux que *Marius*. Si tu te chatouillais un peu l'imagination, tu me ferais plaisir à moi aussi. Car enfin, il reviendra, ce Marius. Et alors, qu'est-ce qui va se passer?

J'y avais pensé, moi aussi, et j'en avais parlé à Pierre Brisson, en dînant avec lui dans un restaurant des Boulevards. Il ne me parut pas très chaud.

— J'aimerais mieux, dit-il, une nouvelle pièce. Un auteur qui écrit une suite risque de donner l'impression qu'il est à bout de souffle, et qu'il tire sur la même ficelle faute d'imagination.

Mais après réflexion, il reprit :

— A moins que la seconde pièce n'ait une valeur en

soi, et qu'elle puisse intéresser un public qui ignore l'existence de la première...

C'était tout justement ce que j'avais eu l'intention de faire. J'en parlai à Volterra, et je lui racontai le sujet de *Fanny*, un soir, à table. Il l'accepta aussitôt, et me dit :

– Nous créerons la pièce à la rentrée, mais je vais être forcé d'arrêter *Marius* à la 800e, car je suis lié par des contrats, dont je repousse l'exécution depuis deux ans. Je vais les exécuter avant la fin de la saison, pour pouvoir jouer *Fanny* à la rentrée, sinon je serais forcé d'en reporter la création à l'année prochaine.

On arrêta donc *Marius*, pour laisser la place à *Un homme en habit*, d'Yves Mirande et André Picard.

C'était une petite comédie qui avait été créée en 1920 aux Variétés, sans grand succès.

A la surprise générale, Raimu parut enchanté de quitter le rôle de César pour celui de cet *homme en habit*; mais comme je le connaissais bien, il ne me fut pas difficile de comprendre sa joie.

Le grand Jules, fort soigneux de sa personne, était à la ville d'une remarquable élégance; non pas voyante, mais riche et de bon goût. Ses pardessus étaient admirés, et souvent copiés. Il changeait chaque jour de cravate, et le plus célèbre bottier de Paris taillait ses chaussures dans des cuirs précieux, sévèrement choisis.

Après avoir, pendant 800 représentations, porté sur la scène le tablier bleu, la casquette et les espadrilles d'un patron de bar, il avait grande envie de rappeler à son public qu'il était capable de jouer un homme du monde, fort à son aise dans des escarpins.

Pendant que Raimu faisait sur la scène sa démonstration d'élégance, je me mis au travail avec beaucoup de plaisir. A la fin de l'été, je pus lire mon manuscrit au Patron et à la Patronne. Ils en parurent enchantés, et m'invitèrent à passer quelques semaines au cap Camarat, à une petite lieue de Saint-Tropez.

Là, sur la crête du cap, se dressait la masse imposante d'un château moderne.

Cette somptueuse demeure avait été construite pour y abriter le malheur d'un jeune garçon étranger, de très haute naissance, mais anormal.

Les murailles du monument étaient constituées par de très gros cubes de pierre rose. La tradition tropézienne disait qu'on avait apporté ces blocs de Saint-Raphaël, soigneusement enveloppés d'un papier très épais.

La construction d'une telle masse, avec tant de soin, dura si longtemps qu'à la pose de la dernière tuile, le malheureux petit prince était mort. C'est ainsi que le château fut mis en vente, et que Volterra l'acheta.

Il allait s'y reposer de temps à autre, mais à cause de l'immensité de ce palais, il convoquait toujours quelques amis de notre métier, comme Rip, Jean Le Seyeux, Mirande, Saint-Granier. Il emmenait aussi des machinistes, épuisés par les terribles répétitions du Casino de Paris, qui reprenaient leur bonne mine en jardinant au soleil de Provence.

J'y passai plusieurs semaines des plus agréables, en allant poser le soir des palangres que nous relevions à l'aube, puis en parties de pétanque, et la nuit en tournois de belote dans les somptueux salons du château.

Saint-Tropez était encore dans sa préhistoire; c'était un très grand village de pêcheurs, fréquenté par quelques estivants, parmi lesquels la grande Colette, René Clair et un assez grand nombre de peintres, en souvenir de Signac, fondateur de l'école de la Méditerranée : c'est lui qui avait amené dans ce gros village de pêcheurs de grands artistes comme Matisse, Marquet, Bonnard, Luc Albert Moreau, et l'illustre Dunoyer de Segonzac, qui veille encore, au musée de l'Annonciade, sur les chefs-d'œuvre de ses amis.

Un dimanche matin, Léon, qui descendait au village pour acheter des journaux, m'invita à l'accompagner pour me montrer – dit-il – « quelque chose ».

En sortant de la librairie, il pointa l'index vers un peintre debout devant son chevalet, sur la jetée.

– Allons voir ce qu'il fait, me dit-il. Je voudrais bien avoir ton avis sur la valeur de ces tableaux.

Le peintre était vêtu d'un bleu de mécanicien. Il nous salua d'un sourire, et reprit son travail. Il peignait une vue du port de Saint-Tropez qui me parut fort plaisante, avec de très belles couleurs provençales.

– C'est votre profession? demanda Léon.

– Oh non! dit le peintre. Je suis tourneur sur métaux, et je travaille à l'usine des torpilles. Je peins comme ça, le dimanche.

– Depuis longtemps?

– Depuis des années. J'ai au moins cent toiles dans mon grenier.

Lorsque nous le quittâmes, Léon me dit :

– Est-ce que ces tableaux t'intéressent?

– Je les trouve très beaux, et très habilement peints. Seulement, je dois avouer que lorsqu'un tableau me plaît, mes amis peintres me rient au nez.

– L'opinion des peintres n'a aucune importance, répliqua Léon. Ce n'est pas aux peintres que l'on vend des tableaux. Moi aussi, sans rien y connaître, j'aime beaucoup ce qu'il fait, et j'ai bien envie, pour la générale de *Fanny*, de décorer les halls du théâtre avec des toiles de ce garçon, si elles sont toutes aussi intéressantes que celle qu'il peint en ce moment. Et puis, nous en mettrons dans le décor de la salle à manger de Panisse. Il faut aller visiter son grenier.

Nous y allâmes deux jours plus tard, et c'est ainsi que de grandes caisses, qui contenaient plus de cent toiles, furent chargées sur un camion, et partirent pour le Théâtre de Paris. Salomon, éperdu de reconnaissance, ne savait comment nous témoigner son amitié; mais les « vrais » peintres, les modernes, les savants, ceux qui peignaient des tableaux pour peintres, saluaient notre passage par des ricanements.

Lorsque nous rentrâmes à Paris, Léon voulut commencer immédiatement les répétitions : après avoir relu mon ouvrage, je lui demandai de m'accorder encore deux ou trois semaines pour refaire certaines scènes, qui ne me plaisaient plus.

Léon haussa les épaules, m'affirma que j'allais abîmer mon ouvrage, et que l'auteur dramatique fait des pièces comme un figuier fait des figues, c'est-à-dire sans rien y comprendre.

Enfin, il consentit à m'accorder trois semaines, mais il m'avertit que si mes corrections faisaient du tort à la pièce, il se réservait le droit de les refuser, et de jouer la première version. Enfin, il décida que la générale aurait lieu, irrévocablement, le 1er décembre. En attendant, il allait monter une petite reprise, et convoquer la troupe pour les répétitions de *Fanny*.

Nous eûmes une première déception.

Par malheur, Fresnay n'était pas libre : un succès tout neuf le retenait sur une autre scène.

Cette absence était fort regrettable. Volterra me fit remarquer que Marius ne paraissait qu'au dernier acte, vers onze heures du soir, et qu'à ce moment-là, la partie serait déjà gagnée ou perdue.

Nous décidâmes de remplacer Fresnay par Berval, qui était le grand jeune premier de l'Alcazar de Marseille. Il chantait, il dansait et jouait fort bien la comédie. Les femmes l'adoraient, l'accablaient de lettres enflammées, et une troupe de belles créatures – les plus jolies filles du port, ou même de la rue Paradis – l'attendaient à la sortie, et parfois se ruaient sur lui en gémissant. Il y perdait souvent son chapeau, quelquefois même sa cravate. Spéculant bassement sur son sex-appeal, autant que sur son talent, Léon engagea Berval.

Nous allions commencer les répétitions, lorsque la réponse d'Alida Rouffe nous arriva de Marseille. La chère Honorine nous annonçait qu'elle était sur un lit de douleur, dans une clinique.

Par amour de la gloire, plutôt que par intérêt, elle avait repris la route pour de petites tournées, dont elle était la directrice et la vedette. Dès le matin de son arrivée dans les petites villes de la côte, on voyait – aux deux bouts de l'avenue principale – une large bande de calicot qui annonçait sa venue aux populations :

ALIDA ROUFFE
EST DANS NOS MURS

Elle obtenait toujours un grand succès, dont elle était plus fière que de sa réussite à Paris. Mais un jour – jour fatal – comme elle sommeillait dans un petit train départemental, une poutre, mal arrimée sur un wagon de marchandises qui venait en sens inverse, brisa au passage la glace de son compartiment, et une longue aiguille de verre, traversant son corset à baleines, l'avait assez gravement blessée.

Sa lettre nous disait que, selon les médecins, il lui fallait deux mois au moins de repos complet, attendu qu'elle avait encore « l'embouligo tout farci de petites épines de verre qui me font des chatouilles terribles... ».

C'était une défection importante, car Alida avait conquis le public parisien, et le rôle, d'un bout à l'autre, était écrit pour elle...

Nous la remplaçâmes par une comédienne qui était célèbre à Marseille; quoiqu'elle jouât à ravir les poissonnières, elle avait renoncé à son prénom, et se faisait appeler Madame Chabert. Elle s'annonçait ainsi sur les affiches, sans doute pour s'égaler (typo-graphiquement) à Madame Simone, qui fut avec Réjane et Sarah Bernhardt une des trois grandes actrices de ce demi-siècle.

Quand tout notre monde fut réuni, nous commen-çâmes, non sans inquiétude, les répétitions.

Les premières plurent beaucoup aux machinistes. Orane Demazis, Charpin, Vattier, Dullac jouaient leurs rôles avec une aisance admirable; le petit Maupi avait l'air d'inventer son texte; Berval, Mar-seillais authentique, tenait brillamment le rôle de Marius, Madame Chabert et Milly Mathis avaient spontanément trouvé le ton. Quant à Raimu, c'était encore une fois le grand Raimu, l'inoubliable. Tous les espoirs étaient permis.

Quinze jours plus tard, Léon ferma le théâtre pour que la scène fût à notre disposition aussi bien le soir que l'après-midi. Tout s'annonçait bien, et le vieux Lehmann disait : « Au premier jour d'ouverture de la location. Il y aura la queue sur le trottoir jusqu'à la rue La Bruyère. »

Un soir, à minuit, après deux longues répétitions, je n'eus pas la force d'aller souper avec Raimu, pour aller dormir chez moi.

Sur les trois heures du matin, des coups de son-nette répétés me réveillèrent : je trouvai devant ma porte Léon et Simone Volterra.

Sans dire un mot, Léon passa devant moi, jeta son chapeau sur un guéridon, et dit :

– Je viens te prévenir : ton ami Raimu ne jouera pas *Fanny*.

Il était pâle et mordait ses dents avec tant de force qu'on voyait se gonfler les muscles sous chaque oreille.

Je crus à un malheur.

– Il est mort?

– Oui, dit Léon. Pour moi, il est mort. Par qui veux-tu le remplacer?

Je fus stupéfait, car je les avais quittés fort bons amis. Je demandai :

– Que s'est-il passé?

– C'est une affaire personnelle. Je te donne ma parole que cet individu ne remettra jamais les pieds chez moi.

Je regardai la Patronne. Elle me présenta un profil impérial, et ne dit rien.

Je compris qu'ils avaient sans doute passé la soirée ensemble et qu'après un souper au Fouquet's ou au Maxim's Jules, une fois de plus, s'était mis en colère et avait donné une petite représentation publique du plus mauvais goût. J'espérai cependant que des injures proférées après une heure du matin ne justifiaient que faiblement une rupture définitive, après une collaboration de tant d'années, et qu'il suffirait de gagner du temps.

– Asseyez-vous, dis-je, et buvons d'abord quelque chose, car je ne suis pas tout à fait réveillé, et je me demande si je ne rêve pas.

La Patronne prit un siège, mais Léon resta debout, muet, les poings dans les poches.

Je servis, en silence, trois petits verres de Chartreuse jaune. Léon répéta :

– Qui veux-tu que j'engage à sa place?

– Il faut prendre une décision tout de suite, dit la

Patronne. Nous avons pensé à Francen ou à Harry Baur.

– Ma chère Patronne, dis-je, je ne sais pas ce qui s'est passé, mais je vois que vous êtes tous les deux en colère, et qu'il est trois heures du matin. Il serait tout à fait déraisonnable de prendre une décision avant d'avoir dormi.

– La mienne est prise, dit Léon. Viens demain de bonne heure à la répétition et tu assisteras à son exécution publique.

Ils sortirent, sans avoir touché à leurs verres. J'étais un peu inquiet, mais persuadé que l'affaire serait arrangée dès le lendemain.

Quel pouvait être le motif de cette décision radicale? J'essayai de téléphoner à Jules. Point de réponse. Pensif, je pris un verre de Chartreuse pour me réconforter.

Je l'avalai d'un trait, et je fus tout à coup écœuré : assez mal informé sur la coloration des alcools, et trompé par la belle couleur jaune d'or, j'avais servi de l'huile d'olive.

Le lendemain matin j'appelai Jules; sa fidèle concierge me répondit qu'il venait de sortir. A midi, il n'était pas rentré.

Lorsque j'arrivai au Théâtre de Paris, la répétition était déjà commencée. Charpin et Demazis étaient en scène. Au milieu de l'orchestre, je vis Léon et la Patronne, siégeant côte à côte. Au premier rang, quelques acteurs qui attendaient leur tour. Raimu n'était pas là.

J'allai m'asseoir près de Léon. Il écoutait les comédiens, immobile et froid comme un marbre, et la Patronne n'accordait pas le moindre sourire aux effets comiques de Charpin, qui d'ailleurs ne faisaient rire personne, pas même lui...

A la fin de la scène, Raimu entra sur le plateau par le fond. Le chapeau sur la tête, son manuscrit sous le bras. Il s'avança vers Charpin et dit son texte.

— Ô Panisse, pourquoi tu t'enfermes comme ça? C'est pour compter tes sous, vieux grigou?

Maître Panisse n'eut pas le temps de lui répondre. Volterra s'était levé, et il dit d'une voix forte :

— Monsieur Raimu, allez consulter le billet de service.

Jules, surpris, hésita un instant, et sortit, car le billet de service était affiché tous les jours dans le couloir des loges.

Il y eut un lourd silence. Tous les comédiens l'avaient lu, ce billet. Il disait : « M. Raimu ayant gravement manqué de respect à son directeur, son contrat est résilié. »

Raimu reparut. Il s'avança jusqu'à la rampe, et dit simplement :

— A qui faut-il remettre le manuscrit?

— A M. Henriot, dit Léon.

Le régisseur s'avança vers Jules, qui lui tendit le gros cahier rouge, puis, sans mot dire, nous tourna le dos et sortit de scène. Pendant trente secondes, personne ne parla, ni ne bougea.

Je le rejoignis dans l'entrée du théâtre.

— Jules, dis-moi ce qui se passe.

— Il se passe que M. Volterra m'a résilié.

— Dis-moi pourquoi.

— Ça n'arrangerait rien.

— Écoute; je sais bien que cette brouille ne durera pas plus de huit jours, et ce sera huit jours de perdus pour notre travail. Est-ce que tu ne trouves pas que c'est ridicule? Dis-moi d'abord : qui est-ce qui a commencé?

— Si tu me le demandes, c'est parce que tu crois que c'est moi! Par conséquent, tu lui donnes raison!

– Je ne donne raison ni à l'un ni à l'autre, puisque je ne sais même pas de quoi il s'agit; mais je sais que dans toutes vos querelles, c'est toi qui as crié le premier...

– C'est peut-être moi qui crie le premier, mais ce n'est jamais moi qui commence la dispute. Je crie, parce qu'on me dit des choses qui me font crier.

– Puisque tu avoues que tu as crié le premier, c'est à toi de faire le premier pas... Si tu veux, je vais lui dire que tu regrettes ce qui s'est passé, qu'une amitié de trente ans ne peut pas finir aussi bêtement... Qu'en penses-tu?

– J'en pense que si tu tiens absolument à lui dire quelque chose de ma part, je te charge de lui affirmer que je suis heureux d'être enfin délivré de cet esclavage, et que par sa perfidie, il vient de me rendre un grand service.

– Et ma pièce?

– Tu n'as qu'à la lui reprendre : je te la jouerai ailleurs.

Il me quitta brusquement, en faisant sonner le trottoir sous ses talons.

En rentrant dans le hall, j'y trouvai Léon. Il vint vers moi, l'œil mauvais.

– Qu'est-ce que t'a dit cet imbécile?

– Evidemment, il n'est pas content... Il a été surpris par cette décision extraordinaire... Mais j'ai l'espoir qu'avant trois jours il reviendra s'expliquer, et sans doute s'excuser...

– Ce serait amusant! Ça me plairait de le mettre à la porte une seconde fois! Par qui veux-tu que je le remplace?

– Personne ne peut le remplacer. Il nous manque déjà Fresnay et Alida. Sans lui, il vaut mieux remettre *Fanny* à l'année prochaine. Parce que je vous connais tous les deux, et je sais bien que tout ça finira par un grand dîner quand ce sera trop tard.

– Jamais, entends-tu? Jamais ce monsieur ne reparaîtra dans mes théâtres. Jamais! Tu peux le lui dire de ma part.

Les répétitions continuèrent, le rôle de César étant lu par le régisseur. Cependant, je faisais la navette entre les deux ennemis, en édulcorant grandement les déclarations que chacun d'eux me chargeait de transmettre à l'autre, et qui se réduisirent très vite à des insultes, puis à des accusations aussi graves que ridicules.

Naturellement, ce fut Raimu qui trouva la plus forte.

Léon aimait à raconter qu'au temps de sa jeunesse il avait été marchand de programmes à la sauvette devant les théâtres ou les music-halls.

Ces programmes, imprimés sans autorisation par un entrepreneur pirate, faisaient une concurrence déloyale à ceux de l'établissement; parfois la police conduisait au poste les vendeurs. Les jours de rafle, Léon y retrouvait plusieurs confrères; un garçon du bar voisin leur apportait de la bière; ils commençaient alors une belote, et le brigadier de service arbitrait les coups douteux. A minuit, on les libérait, sans autre sanction...

– Ça nous arrivait une fois par mois, avait dit Léon.

C'est pourquoi, à ma cinquième tentative de conciliation, comme je demandais à Jules de réfléchir, et de reconnaître qu'il n'avait jamais eu l'intention d'insulter son directeur, il répliqua :

– Tu diras à ton ami que jamais je ne retournerai me mettre sous les ordres d'un pilier de commissariat de police.

Ils finirent d'ailleurs par m'insulter moi-même, et

212

j'abandonnai la partie, mais je m'irritai à mon tour.

— Mon cher Léon, dis-je, votre querelle est peut-être très intéressante, mais je ne veux pas en faire les frais, car nous courons à un four. Je retire donc ma pièce; je vous la rendrai quand vous serez réconciliés.

— Tu ne me la rendras donc jamais.

— Dans ce cas, je la présenterai dans un autre théâtre, dont le directeur fera passer l'intérêt de l'ouvrage après ses querelles personnelles.

— C'est-à-dire que tu prends le parti de ton ami Raimu!

— En aucune façon. Le parti que je prends, c'est le mien. Et je vous retire *Fanny*.

— Je te remercie de ta gentillesse, mais je dois te signaler que tu commets une erreur. Crois-tu vraiment que tu as le droit de me reprendre ta pièce?

— Certainement. La distribution devait être faite d'un commun accord. Elle a été faite, et on n'y peut plus rien changer sans l'assentiment des deux parties. Or, je refuse le mien, et je reprends mes droits.

Léon fit un petit sourire.

— Tu ignores donc ce que dit le contrat entre les directeurs et la Société. Il précise que si un acteur de la troupe n'obéit pas au directeur, celui-ci a le droit de le remplacer par un autre acteur que l'auteur devra désigner. J'attends donc ton choix.

— Et si je refuse de choisir?

— Tu devras me rembourser d'abord tous les frais engagés, plus une indemnité pour les bénéfices que je pouvais espérer. On les évaluera d'après ceux de *Marius*, qui sont considérables. D'autre part, il te faudra indemniser tous les comédiens pour les répétitions, et payer leurs salaires pour trente représentations. Remarque que je suis bon prince : si tu veux véritablement prendre à ta charge tous ces frais, donne-moi trois millions, et n'en parlons plus!

Cette somme, en 1931, correspondait à plus de cent cinquante millions de francs Pinay. Mon agent, Morazzani, me dit que la demande était peut-être exagérée, mais qu'elle était solidement fondée, et qu'il valait mieux capituler.

Léon me dit alors :

– Je te propose encore une fois Harry Baur qui a brillamment créé ta pièce *Jazz*, et qui l'a menée jusqu'à ta première centième. C'est un grand comédien, et très certainement supérieur à « ton ami ». Mais il faut l'engager dans les trois jours, sinon il va signer ailleurs.

Harry Baur fut l'un des plus grands acteurs de notre temps. Son autorité, sur la scène ou sur l'écran, était souveraine. Il passait sans effort du drame le plus noir à la comédie bouffe, et il savait son métier aussi bien que l'illustre Lucien Guitry.

D'autre part, il avait fait à Marseille une partie de ses études, et son accent était d'un naturel parfait.

Cependant, je savais que le public, avant de l'avoir vu sur la scène, regretterait l'absence de Raimu, aggravée par celle de Fresnay et d'Alida Rouffe. La partie à jouer serait bien difficile : c'était l'avis des machinistes, de la buraliste, et de Lehmann.

A l'ouverture de la location, quelques jours avant la générale, on ne vit point cette queue qui devait remonter jusqu'au coin de la rue La Bruyère. Seule, derrière son guichet, Juliette mordillait son inutile crayon bleu. Les agences théâtrales, dont la confiance assure au moins le départ d'une pièce, les riches agences ne retenaient pas un seul rang de fauteuils, ni même un fauteuil...

La veille de la générale, Lehmann m'annonça que

deux places étaient louées pour la première. Il ne décolérait pas.

— Deux fauteuils loués! disait-il. Pas trois, pas quatre. Deux! Dans toute ma carrière, dans les pires catastrophes, je n'ai jamais vu ça! Voilà comment ils sont! Ça vient vous pleurer dans le gilet pour réclamer la suite, et ça vous laisse tomber froidement! Et pourquoi? Parce qu'on leur a changé trois acteurs! Ils n'ont même pas la curiosité de voir M. Harry Baur, qui est formidable, ni la pièce de l'auteur, qui est bien mieux que *Marius*... Enfin, il n'y a rien à faire, c'est comme ça.

Le soir de la générale arriva. Volterra avait fait grandement les choses.

Les vastes salons du Théâtre de Paris étaient tapissés par plus de cent toiles de Salomon, qui n'avait pas osé se montrer. L'éclairage avait été doublé par les soins de Valentin, et il y avait, au pied des murs, de grandes corbeilles de fleurs de mimosa, que les ouvreuses distribuaient aux dames.

Lehmann était sombre. Il n'avait pas eu à refuser (car c'était son jour de souveraineté) la cinquantaine d'hirondelles de générale qui se traînaient d'ordinaire à ses pieds pour obtenir le strapontin auquel elles n'avaient pas droit.

Une vieille ouvreuse me dit à mi-voix :

— Ils n'ont par l'air chauds. Ils parlent tous de Raimu et de Fresnay.

J'allai voir Baur dans sa loge. J'y trouvai notre directeur, qui fumait un cigare, et qui me parut non seulement optimiste, mais joyeux.

— Tu vas voir, me dit-il, que l'on peut se passer de ton ami!

Baur parachevait son maquillage. Charpin entra, rayonnant.

— Regardez-le, dit Baur. Il sait bien qu'il a le plus beau rôle!

– Oui, dit Charpin gentiment. C'est moi qui ai le plus beau rôle, mais ce n'est pas moi qui ai le plus grand talent.

A la fin du premier acte, la partie semblait gagnée, et nos espions de l'entracte vinrent nous rapporter les propos rassurants qu'ils avaient entendus dans les salons. Harry Baur avait un grand succès personnel, et Milly Mathis, dans la dernière scène de l'acte, avait conquis toute la salle par sa verdeur spontanée, et la fraîcheur d'une voix éclatante.

Le second acte fut coupé plusieurs fois par des applaudissements, et lorsque Orane Demazis, entre Harry Baur et Charpin, revint saluer le public, des centaines de bouquets de mimosa tombèrent sur la scène, et la représentation fut un grand succès.

Lehmann, tout ragaillardi, me dit :

– Je crois que nous sommes sauvés, mais il faut attendre la critique : les comptes rendus ne paraîtront qu'après-demain et la location va démarrer l'après-midi.

Nous allâmes souper en pleine euphorie.

Le lendemain matin, vers dix heures, le téléphone me réveilla. C'était Lehmann.

– Viens tout de suite : le patron veut te voir.

– Pourquoi?

– Ma foi, je n'en sais rien... Peut-être quelques petites coupures...

– Dis-lui qu'après le succès d'hier au soir, je ne vois absolument rien à couper.

– Viens le lui dire toi-même.

Et il raccrocha.

Inquiet et furieux, je partis pour le théâtre.

Une longue queue sortait du hall, et s'allongeait sur le trottoir de la rue Blanche.

Lehmann, triomphal, m'accueillit.

216

— La queue n'arrive pas encore à la rue la Bruyère, mais elle l'atteindra vers midi...

Il n'était nullement question de coupures. Le Patron, grand expert en publicité, avait demandé un service d'ordre, comme s'il redoutait quelque bagarre, et trois superbes gardiens de la paix, visibles de fort loin, canalisaient le flot descendant : alors Lehmann téléphona aux « échotiers » qu'il avait dû appeler la police pour contenir « la ruée d'une foule en délire », pendant que Juliette, avec une rapidité magique, distribuait loges et fauteuils.

Voilà l'un des mystères du théâtre, car il ne s'agit pas d'un fait unique, mais d'un cas général.

Dix heures à peine après le dernier rideau, tous ces gens, au réveil, avaient appris notre succès, avant que l'opinion des critiques se fût exprimée dans les journaux... D'ailleurs, pour un échec, le résultat est inversement le même.

Une seule explication vient à l'esprit; les spectateurs de la générale ont téléphoné à leurs amis, mais c'est difficilement croyable. Il faudrait que plusieurs centaines d'entre eux aient pris la peine d'appeler leurs connaissances vers une heure du matin, ou dès leur réveil. On peut invoquer également les courtes notes du « soiriste » qui paraissent dans quelques journaux du matin, mais cette explication qui me semble insuffisante est sans doute la seule possible, et elle prouve le très grand intérêt que le public parisien accorde à l'art dramatique.

Finalement, quoique la carrière de la pièce ait été brillante, ses recettes n'atteignirent pas celles de *Marius*. On ne loua pas les gradins, ni le strapontin à vapeur, et il y eut souvent quelques places vides à l'orchestre, astucieusement remplies par Lehmann qui faisait descendre sans supplément quelques spectateurs des galeries, en leur disant que M. Volterra venait de lui ordonner de leur faire cette « gracieuseté ».

Le grand triomphateur, ce fut Salomon.

Dès le premier jour, des spectateurs, séduits par la lumière des tableaux exposés dans les halls, demandèrent au contrôle s'ils n'étaient pas à vendre.

L'astucieux Lehmann fit d'abord l'ignorant, parla de « collection particulière », et promit d'en parler au peintre, et à M. Volterra.

Léon consulta Salomon sur les prix qu'il fallait demander. Salomon répondit par un chiffre ridicule, que Léon feignit d'accepter, mais qu'il ordonna à Lehmann de tripler, en prévenant les acheteurs que les toiles ne leur seraient livrées qu'à la fin des représentations.

Le succès fut immédiat, mais Lehmann n'en dit rien au peintre, qui venait chaque jour « faire un petit tour » au théâtre, et voyait avec une grande inquiétude que la collection restait toujours complète... Enfin, un soir, Léon, qui avait le cœur bon, l'appela dans son bureau, et lui tendit un chèque si important que Salomon crut d'abord à une méchante plaisanterie; mais quand il comprit que c'était un vrai chèque, il ouvrit des yeux énormes, et s'écria :

— Ce coup-ci, je vais me payer quelque chose...

Il reparut le soir dans un costume de golf, avec des chaussures anglaises à semelle épaisse, des bas verts, le pantalon bouffant, et une casquette à carreaux.

— Ho ho! dit Volterra, tu sais jouer au golf?

— Non, dit Salomon, et je n'essaierai jamais; mais le costume me plaît. Il est commode. Il y a de grandes poches... Et puis, j'en avais envie depuis dix ans...

Ce ne fut pas un très grand peintre, mais un vrai peintre, qui a connu de belles réussites. Il m'a montré plus tard, avec une légitime fierté, un numéro d'une revue d'art américaine qui était consacré à son exposition de New York, où il avait eu un très grand succès. Sa peinture est simple et franche, ses couleurs rendent admirablement la Méditerranée et le ciel de Provence, et l'on a toujours plaisir à les regarder.

Vers la 400e, on ne jouait plus à bureaux fermés, sauf le samedi, et parfois le dimanche après-midi.

Cependant, Léon pensait que la pièce avait encore « cent cinquante représentations dans le ventre »; mais sa carrière fut écourtée par ma faute.

Le succès du film tiré de *Marius*, les merveilleuses ressources que le nouvel art mettait à la disposition de l'auteur, et son extraordinaire puissance de diffusion m'avaient ébloui... Le distributeur m'annonçait qu'avec deux cents copies *Marius* était joué 150 fois par jour dans les salles de Paris et de province. Pour des gens de théâtre, qui fêtaient alors une centième comme un glorieux événement, c'était un miracle comparable à celui de l'invention de l'imprimerie pour les écrivains : c'est pourquoi j'attendais avec impatience le moment de porter *Fanny* à l'écran, et je voyais avec un coupable plaisir la baisse progressive des recettes du théâtre.

J'avais déjà établi le scénario et les dialogues du film, en ajoutant à la pièce quelques scènes qu'on n'aurait pu réaliser au théâtre.

Ce film, j'avais résolu d'en être le producteur, car la Paramount venait de massacrer *Topaze*. J'en parlai à mon ami Roger Richebé et nous fondâmes une société de production, avec l'intention de tourner en juin, en confiant la mise en scène à Marc Allégret, qui fut l'un des premiers cinéastes à comprendre les richesses de l'art nouveau.

Lorsque j'annonçai – assez timidement – que le film serait réalisé pendant l'été 1932, Volterra se fâcha tout rouge, et m'appela « renégat ».

C'était en effet l'époque où le film parlant semblait devoir ruiner le théâtre en lui prenant ses salles, ses comédiens et son public. Les directeurs de théâtre se plaignaient amèrement de cette invasion, comme font aujourd'hui les exploitants de cinéma, durement touchés par la télévision.

J'expliquai à Léon qu'à mon avis le film tiré de *Fanny* relancerait la pièce, qui allait atteindre sa 400e, et dont les recettes fléchissaient. Cette explication ne fit que l'irriter davantage : il m'annonça solennellement qu'il arrêterait les représentations théâtrales le jour même de la sortie du film.

Je savais qu'il le ferait, mais l'entreprise cinématographique me parut beaucoup plus importante que la prolongation de la pièce, et mon manuscrit fut réalisé en 1932 par Marc Allégret avec une sensibilité et une autorité qui eurent une grande part dans le succès de l'ouvrage.

Il me fut assez pénible de reprendre à Baur, à Berval, à Madame Chabert les rôles qu'ils avaient créés sur la scène, pour les rendre sur l'écran aux interprètes du film précédent; en effet, les distributeurs et les exploitants avaient été formels : l'immense clientèle des cinq mille salles attendait Raimu, Fresnay et Alida, et n'accepterait aucun remplaçant. Leur thèse me fut confirmée plus tard.

Volterra arrêta les représentations pendant que le film était encore au montage : puis il exigea une projection privée, et vit notre ouvrage le pre-

mier, sans un mot, et sans un sourire. Enfin, il déclara :

– Moralement, ce film m'appartient. Si tu es honnête, tu vas m'en réserver l'exclusivité à Paris, pour
mon cinéma de Marigny.

Ce fut une grande réussite, et Léon me rendit son
amitié, c'est-à-dire qu'il renonça à me parler d'un air
glacé et les poings dans les poches.

Lorsque j'avais constaté que *Fanny*, sur la scène,
n'avait pas eu une réussite égale à celle de *Marius*,
j'en avais tiré diverses conclusions. J'avais d'abord
pensé que Pierre Brisson avait raison, et qu'une
« suite » n'inspirait pas confiance au public; puis,
que le sujet de mon ouvrage était trop banal; mais
les résultats de l'exploitation des films m'ont appris
que je me trompais.

Un distributeur statisticien a établi que depuis
trente ans, lorsque les trois films passent dans la
même salle, à quelques semaines d'intervalle, si la
recette de *Marius* est 100, celle de *Fanny* est 108, celle
de *César* 95.

J'en conclus donc que l'absence de Raimu, de
Fresnay et d'Alida Rouffe a pesé lourdement sur le
succès de l'ouvrage au théâtre, malgré l'excellence de
leurs remplaçants qui étaient longuement applaudis
chaque soir. Le public est fidèle, et il a bonne
mémoire.

Dans le film de *Fanny*, Dullac, malade, n'avait pu
tenir son rôle d'Escartefigue. Nous l'avions remplacé
par Mouriès, qui l'avait longuement joué dans les
tournées avec beaucoup de succès : j'ai reçu à ce
sujet plus de cent lettres de protestation, et il m'arrive encore d'en recevoir aujourd'hui.

On a tiré deux films étrangers de cet ouvrage, l'un

en italien, l'autre en anglais et, à ce propos, voici un petit mystère de linguistique.

Dans le Midi, lorsqu'une équipe de pétanque perd la partie sans marquer un seul point, l'usage veut qu'elle « baise Fanny : avec une certaine solennité.

On va alors chercher au bar voisin, ou au cercle, un assez grand tableau – œuvre d'un amateur du pays – qui représente la partie la plus charnue d'une plantureuse créature. Alors les vaincus s'agenouillent, et baisent tour à tour, fort humblement, ces fesses rebondies.

Or, le mot Fanny, en Amérique, désigne précisément la même chose, et il est considéré comme un mot d'une très choquante grossièreté; c'est pourquoi, à la sortie du film à New York, un grand critique commença ainsi son article.

« Enfin, il est possible d'imprimer le mot Fanny dans un journal! »

Cet usage étrange d'un joli prénom nous serait-il venu d'Amérique? Je crois plutôt qu'il y fut importé, après la guerre de 1914, par quelques boys, qui avaient appris à jouer à la pétanque, et qui eurent sans doute, à leurs débuts, l'occasion de « baiser Fanny ».

Nous avions dîné ensemble, avec Berval, au restaurant de Titin, lorsque vers dix heures un riche négociant marseillais entra, et vint nous saluer, puis il dit au comédien :

– Vous ne jouez donc pas dans *Fanny*?

– Oui, dit Berval. Mais j'entre en scène au début du dernier acte.

– Vous avez donc accepté de jouer une panne?

– J'entre en scène à onze heures, dit Berval, mais depuis neuf heures moins dix, M. Harry Baur, Orane

Demazis et Charpin parlent de moi... C'est le meilleur rôle de la pièce!

En effet, dès son entrée, le public l'applaudissait avant qu'il eût dit un mot.

Jeunes comédiens, méditez cette parole d'un ancien qui savait son métier, et quand vous serez en état de choisir, n'acceptez jamais un rôle sans entrées ni sorties, et qui n'est pas en situation.

6

JUDAS

1955

LA carrière de cette pièce ne fut pas brillante. Pourtant Elvire Popesco l'avait montée à grands frais sur la vaste scène du Théâtre de Paris, et la troupe qui joua était remarquable.

Raymond Pellegrin incarnait un admirable Judas. Jean Hervé jouait le grand prêtre. Jean Chevrier était Ponce Pilate. Léonce Corne fit une création étonnante du vieux père de l'apôtre, et Daxely campa un centurion brutal mais sympathique. Les deux femmes étaient Suzanne Rissler, et Aya Harrarit, une brillante actrice israélienne.

Malgré une mise au point encore incertaine, la générale fut un succès, et la presse très favorable. Les premières recette furent bonnes, mais non excellentes. C'est que, pendant les répétitions, des bruits avaient couru : les catholiques intransigeants affirmaient que j'avais obtenu (de la fameuse Internationale juive) des sommes énormes pour réhabiliter Judas en falsifiant les Evangiles.

D'un autre côté, le Grand Rabbin n'avait pas approuvé mon ouvrage, dont je lui avais soumis le manuscrit; il me reprochait d'avoir suivi de trop près les Evangiles, qu'il considérait comme un ouvrage « de polémique », et beaucoup de juifs, sans avoir vu la pièce, croyaient à une propagande antisémite.

Cependant, la « presse parlée » agissait, et un samedi, Hubert de Malet me téléphona : « Ce soir, on refuse du monde! »

Naturellement, je courus au théâtre. La joie régnait dans les coulisses. On faisait des pronostics. Comme un régisseur disait : « Ça fera peut-être toute la saison », il fut presque injurié pour ce « peut-être ».

Deux jours plus tard, en sortant de scène à la fin du second acte, chaleureusement applaudi par le public, Raymond Pellegrin tomba en syncope dans les bras du pompier de service.

Un grand médecin, un professeur, était par hasard dans la salle. Il examina le comédien, assez péniblement ranimé; puis, à la consternation générale, il nous dit :

– Il faut le ramener chez lui d'urgence.

Et comme le régisseur proposait sa voiture :

– Non, dit le professeur. Il faut une ambulance.

Je demandai :

– Pourra-t-il jouer demain?

– Ce serait une grave imprudence. J'exige au moins deux semaines de repos... Nous verrons ensuite.

Roger Rudel, la doublure de Raymond, s'habilla en grande hâte, et nous permit de terminer la représentation.

La recette du lendemain fut tout naturellement pitoyable, et il fallut rembourser une partie de la location.

Cependant, Rudel se montra à la hauteur du rôle.

Il faisait des progrès chaque jour, et toute la troupe, qui était maintenant rodée, le soutenait de son mieux. A la fin de la première semaine, la salle fut honnêtement garnie, et les recettes ne cessaient de monter : nous pouvions attendre le retour de notre vedette, qui se rétablissait lentement : les médecins nous promettaient sa complète guérison après une dernière semaine de soins.

Les bureaux du théâtre préparaient donc la publicité pour sa « rentrée », que nous espérions triomphale...

C'est alors qu'un soir, vers la fin du dernier acte, Rudel fut tout à coup saisi par un accès de fièvre, accompagné de déchirantes douleurs abdominales.

Héroïquement, il résista jusqu'au dernier rideau, puis s'effondra : crise d'appendicite foudroyante. Encore une ambulance, la salle de chirurgie, et l'annonce d'une indisponibilité de quinze jours.

La grande Elvire, qui n'a jamais manqué d'audace ni de courage, voulut s'obstiner : nous confiâmes le rôle à un très jeune garçon qui ne manquait ni de talent, ni de sensibilité, mais qui n'avait pas encore l'expérience de la scène. Certes, il ne fut pas ridicule, mais évidemment insuffisant.

Nous aurions pu peut-être attendre le retour de Raymond, mais toute la troupe était découragée par la rapide raréfaction du public, et d'autre part, les gens de théâtre sont sensibles à certaines superstitions : il y a des mots que l'on ne doit pas prononcer sur une scène, et un décor vert est l'abomination de la désolation, car c'est le signe absolument certain d'un échec de l'ouvrage. En réalité, il est souvent difficile d'accepter la catastrophe d'un ouvrage dramatique, et on l'explique toujours par de mystérieuses raisons.

Dans le cas de *Judas*, la troupe et tout le personnel étaient prêts à croire un petit garçon de dix ans qui avait dit : « Le Bon Dieu ne veut pas qu'on joue cette pièce, et il s'est mis en colère... Il a envoyé deux Judas à l'hôpital. Si vous continuez, le troisième, il le tuera. »

Notre échec étant ainsi expliqué sans mettre en cause l'auteur, ni les comédiens, ni la direction, nous l'acceptâmes sans rougir : on ne peut rien contre la volonté divine, il est même glorieux d'en avoir provoqué la manifestation, et d'obéir à une interdiction venue du ciel.

En réalité, condamnée par les chrétiens et par les juifs, et parfaitement indifférente aux incroyants, cette pièce ne pouvait réussir grandement. Et de plus, en la relisant, il m'a semblé que je n'avais pas suffisamment mis en lumière les raisons du personnage principal : c'est pourquoi cette version est un peu différente de la première.

Je n'ai jamais eu l'intention de réformer la théologie, et je sais bien que l'Eglise n'a nul besoin de mes avis; mais il est vrai qu'en relisant de très près les Evangiles, j'ai constaté que ces textes sacrés furent écrits par des hommes qui n'étaient pas encore des saints.

C'est Jésus lui-même qui était de notre avis.

« Seigneur, lui dit Pierre, je donnerais ma vie pour vous. »

Jésus lui répondit :

« Tu donnerais ta vie pour moi! En vérité, en vérité je te le dis, le coq ne chantera pas avant que tu m'aies renié trois fois! » (Jean.)

D'autre part, c'est un fait qu'à l'arrivée des soldats, tous les apôtres prirent la fuite. Aucun d'eux n'est venu défendre Jésus, ni devant le sanhédrin, ni devant Ponce Pilate.

Lorsque le procurateur demanda à la foule quel condamné il devait gracier, « la foule tout entière s'écria : Fais mourir celui-ci, et relâche-nous Barrabas. » (Luc, 23.)

Les apôtres n'étaient donc pas dans cette foule qu'une intervention passionnée eût peut-être fait changer d'avis.

Enfin, il y a l'affreuse trahison de Pierre qui renia trois fois son Maître « en faisant des imprécations et sous la foi du serment. » (Marc, 14.)

J'ai entendu de beaux sermons sur « l'humanité » des apôtres, que leurs fautes et leurs faiblesses rapprochent de nous. Mais on peut en conclure que leur témoignage n'est pas toujours « parole d'Evangile » et qu'il peut être apprécié en toute bonne foi, sans commettre un sacrilège.

Le personnage de Judas, c'est celui du traître dans la divine tragédie de la Révélation, dont le dernier acte est la Passion. Il est considéré depuis des siècles comme le plus grand criminel de tous les temps.

En réalité, que savons-nous de lui ?

Les Evangiles n'en disent presque rien jusqu'au souper de Béthanie.

Ce qui paraît certain, c'est qu'il était jeune, qu'il était beau, qu'il avait une famille, et que son père s'appelait Simon. On croit aussi qu'il était potier.

C'est Jésus lui-même qui le choisit pour être l'un des douze apôtres, et qui lui confia la bourse de la communauté : c'est-à-dire que Judas fut l'intendant de la petite troupe de vagabonds, et le premier serviteur du Messie.

Du point de vue spirituel, il reçut les mêmes pouvoirs que ses frères. Il enseigna les foules, il donna le baptême, chassa les démons, guérit des malades, et suivit le Maître dans ses prédications errantes, dans les villes, les villages, à travers les montagnes et les déserts.

Pourtant, c'est un fait historique qu'il conduisit les soldats jusqu'au campement de son Maître, qu'il le dénonça par un baiser, et qu'il reçut, pour prix de ses services, trente deniers.

Puis, après la réussite de sa trahison, il jette le prix du sang, et va se pendre.

Du point de vue policier, des spécialistes (dont un juge d'instruction) m'ont dit : « C'est une affaire qui ne tient pas debout, et il doit y avoir autre chose. »

Le premier mystère impénétrable, c'est le choix de Judas par Jésus.

Ainsi, le Christ de bonté et de pardon, venu sur terre pour sauver toutes les âmes, choisit Judas, qui sera damné par ce choix. Pour notre faible raison, cette injustice est incompréhensible.

La première accusation formelle contre Judas, c'est saint Jean qui la prononce, dans le récit du souper de Béthanie, chez Marthe et Marie.

« Là, on lui fit un souper, et Marthe servait. Marie, ayant pris une livre d'un parfum de nard pur très précieux, en oignit les pieds de Jésus, et les essuya avec ses cheveux... Alors un de ses disciples, Judas l'Iscariote, celui qui devait le trahir, dit : " Pourquoi n'a-t-on pas vendu ce parfum trois cents deniers, pour les donner aux pauvres ? " Il dit cela, non qu'il se souciât des pauvres, mais parce qu'il était voleur, et qu'ayant la bourse, il dérobait ce qu'on y mettait. » (Jean, 12.) Voilà une accusation catégorique. Mais quelle serait sa valeur juridique ?

Devant un tribunal, aucune : il n'y a là qu'une affirmation, une interprétation tendancieuse d'une protestation qui nous semble toute naturelle. Judas est le comptable, et en somme le responsable de la vie matérielle de la troupe. Il lui faut tous les jours nourrir treize personnes auxquelles s'ajoutaient souvent des pauvres.

Il serait tout à fait normal qu'il eût blâmé ce gaspillage de trois cents deniers.

Mais fut-il le seul à protester? Jean nous l'affirme. Cependant, que disent les trois autres Evangélistes? Luc ne parle pas de cette scène : c'est donc qu'elle ne lui a pas semblé si importante.

Quant à la déposition de saint Matthieu, la voici : « Elle répandit le parfum sur sa tête. Ce que voyant, *les disciples* dirent avec indignation : A quoi bon cette perte? On aurait pu vendre ce parfum très cher et en donner le prix aux pauvres. » (Matthieu, 26.)

Enfin, voici le témoignage de saint Marc : « Comme Jésus était à Béthanie, dans la maison de Simon le Lépreux, une femme entra... Elle tenait un vase d'albâtre plein d'un parfum de nard pur, d'un grand prix, et ayant brisé le vase, elle répandit le parfum sur sa tête. *Plusieurs de ceux qui étaient là* en témoignaient entre eux leur mécontentement : "Pourquoi perdre ainsi ce parfum? On aurait pu le vendre plus de trois cents deniers et les donner aux pauvres..." Et ils se fâchaient contre elle. » (Marc, 14.)

Ainsi donc, selon saint Marc, il s'agit de « *plusieurs de ceux qui étaient là* », qui « témoignaient entre eux leur mécontentement », et Judas n'est même pas nommé.

Selon saint Matthieu, ce sont « *les disciples* » qui protestèrent « avec indignation ».

Il semble donc reconnaître qu'il a protesté lui-même, ainsi que Marc, et peut-être Jean.

Devant un tribunal, les juges auraient posé des questions au petit saint Jean, qui n'était pas encore un saint :

– L'avez-vous vu voler dans la bourse? Pourquoi n'avez-vous pas averti vos frères? Pourquoi êtes-vous en contradiction avec deux d'entre eux? Savez-vous bien que l'accusé pourrait faire une demande recon-ventionnelle contre vous, et vous faire condamner pour faux témoignage?

Ici, mon ami l'Abbé Général des Prémontrés va me parler sévèrement. Il dira : « Comment osez-vous accuser saint Jean d'un faux témoignage? C'est insensé et sacrilège. »

Je lui répondrai modestement :

– Révérendissime, mon audace se borne à croire ce que disent deux apôtres plutôt que le témoignage d'un seul. Je n'accuse pas de mensonge le beau petit saint Jean : il a certainement entendu la protestation de Judas : mais il a omis de nous signaler celle des autres.

Cet épisode du flacon de parfum est d'une très grande importance, parce qu'il nous apporte un très précieux renseignement : il nous permet d'estimer la valeur du denier à cette époque.

Marie n'était ni une reine, ni une princesse. Elle n'a pas d'esclave ni de serviteur, puisque sa sœur Marthe fait le ménage. Pour ces deux femmes et pour les apôtres ce nard est « très précieux ». Il me semble qu'aujourd'hui un flacon de parfum de vingt mille anciens francs paraîtrait « très précieux » à des missionnaires déjeunant chez une femme qui n'a pas de domestique, ce qui mettrait le denier à près de soixante-dix francs. En ce cas, Judas aurait vendu son maître pour le dixième du prix du flacon, c'est-à-dire pour deux mille anciens francs, parce qu'il aimait l'argent! C'est absurde.

Tout au long des quatre Evangiles, nous avons vu des foules suivre Jésus, et reconnaître en lui un grand prophète, qui accomplissait sous leurs yeux des miracles. Il est certain que Judas faisait la quête dans cette foule, et que les parents et amis des miraculés se montraient généreux quand ils le pouvaient. Il est donc également certain que ce n'est pas pour trente deniers que Judas a vendu son maître, car il a toujours eu dans la bourse commune des sommes vingt fois supérieures. Sans trahir Jésus, il n'avait qu'à s'enfuir avec la caisse, comme font les mauvais comptables.

Pourquoi donc l'a-t-il livré?

Pour accomplir les Ecritures. Il a demandé trente derniers, parce que c'était le prix fixé par les prophètes.

D'autre part, dans le cas qui nous occupe, je n'ai pas prétendu résoudre le problème de la prédestination qui, pour notre faible raison, est insoluble : j'ai soutenu que Judas *s'est cru prédestiné*, et qu'il avait de bonnes raisons de le croire, comme de savants théologiens l'ont cru.

En effet, dans la traduction publiée, sur l'ordre du roi, par les Presses de l'Université d'Oxford, nous trouvons ceci, au soir de la Cène :

« Jesus said : "Verity I say unto you, one of you, which eateth with me, shall betray be. " » (Saint Marc, 14.)

« Shall », à la troisième personne du futur, exprime une *obligation*, ou un *devoir*, ou une *nécessité*.

Dans l'Evangile de saint Jean (13) : « When Jesus had thus said, he was troubled in spirit and said :

verily, verily I say unto you that one of you shall betray me ».

« Quand Jésus eut ainsi parlé, il fut troublé, et dit : en vérité, en vérité, je vous le dis, il faut que l'un de vous me trahisse. »

Nous retrouverons encore ce *shall* dans saint Matthieu : « As they did eat, he said : " Verily, I say unto you, that one of you *shall* betray me. He that dippeth his hand with me in thc dish, the same *shall* betray me. " »

« Pendant qu'ils mangeaient, il dit : " En vérité, je vous le dis, il faut que l'un de vous me trahisse. Celui qui met sa main au plat en même temps que moi, celui-là *est chargé* de me trahir. " »

Et dans saint Luc :

« And they began to enquire among themselves which of them it was that *should* do this thing. »

« Et ils commencèrent à se demander l'un à l'autre quel était celui d'entre eux qui en était chargé. »

C'est à cause de la précision des prophéties, confirmées par les paroles mêmes de Jésus, qui a plusieurs fois annoncé sa mort prochaine et nécessaire, que Judas a cru à sa propre prédestination, et qu'il a livré son maître; puis, il l'a suivi dans la mort.

C'est ce personnage que j'ai mis en scène, avec beaucoup de soin et d'amitié, car s'il a cru obéir aux ordres de Dieu et de Jésus lui-même, il fut sans doute le premier martyr.

Je ne puis mieux conclure cette préface qu'en faisant appel à sainte Gertrude.

C'était une abbesse de grand renom, qui mourut en 1334 et qui fut canonisée. Durant sa vie, elle entendit souvent la parole de Jésus lui-même, et elle publia ses entretiens mystiques sous le titre « Révélations ». Voici la réponse lumineuse que lui fit un jour Notre-Seigneur :

« De Salomon ni de Judas je ne te dirai ce que j'ai fait, pour qu'on n'abuse pas de ma miséricorde. »

FABIEN

1956

L'HÉROÏNE de cette histoire, je l'ai connue chez mon ami Jacques Théry, dont elle était la cuisinière.

C'était une femme d'un très grand volume, avec un beau visage éclairé par un joli sourire de jeune fille. Appelons-la Milly, parce que c'est le nom que je lui ai donné dans ma pièce.

Elle me raconta un jour son histoire.

A vingt ans, elle avait épousé Fabien, qui était un photographe de foires et de marchés. Selon ses dires, c'était un jeune homme d'une beauté incomparable, d'une intelligence éblouissante, qui savait tout et le reste. C'était de plus un grand artiste, qui faisait des photographies extraordinaires. Malheureusement, il était atteint d'une sorte de maladie qui s'appelle « l'allergique », c'est-à-dire qu'il ne pouvait pas supporter l'odeur de l'hydroquinone, ou de l'hyposulfite. C'est pourquoi il avait enseigné à Milly la technique du développement et du tirage des photographies, et c'était elle qui faisait tout le travail de laboratoire.

Levée à 5 heures du matin, elle courait de la

chambre noire à la cuisine, pendant qu'il dormait jusqu'à midi, à cause de « cet allergique ».

Leur affaire marchait fort bien, lorsque la petite sœur de Milly, élevée par un oncle devenu libidineux, vint se réfugier chez eux. Elle avait dix-sept ans, et elle était fort jolie. La généreuse Milly ne la repoussa pas, et Fabien, qui était un homme de cœur, déclara que c'était un cadeau du Bon Dieu à leur ménage sans enfant, et qu'il allait s'occuper d'elle comme de sa propre fille, si bien que trois mois plus tard la petite sœur avouait à Milly stupéfaite qu'elle était enceinte des œuvres de son nouveau papa.

Alors, après un violent désespoir, Milly fit ses bagages, et déclara :

– Puisque c'est elle qui a l'enfant, ta femme, c'est elle.

Elle partit se placer comme cuisinière.

Sur ses conseils, Fabien obtint le divorce pour « abandon du domicile conjugal ». Elle fut la marraine de l'enfant, et elle allait chez sa sœur tous les dimanches, leur faire la cuisine et développer quelques négatifs délicats.

Les trois personnages de cette aventure me parurent intéressants, et pendant les vacances, j'essayai d'en faire une comédie.

Naturellement, je fus amené à modifier certains détails. Ainsi, au lieu d'un photographe errant de foire en foire, je décidai d'installer le ménage à Luna-Park, dans un milieu que je connaissais assez bien, car le vaste parc d'attractions de la Porte Maillot appartenait à Léon Volterra, qui allait y passer la matinée, c'est-à-dire aux heures de fermeture : je l'y ai souvent accompagné.

Dans la galerie d'entrée, il y avait le Trombinoscope, c'est-à-dire la collection des miroirs déformants.

Volterra, qui fut un grand homme d'affaires, dirigeant simultanément le Théâtre de Paris, le Casino de Paris, le Théâtre Marigny, et une très importante écurie de courses, avait gardé une âme d'enfant : il aimait les farces et attrapes, et ne pouvait passer devant le Trombinoscope sans s'arrêter à chaque miroir, pour faire quelques grimaces. Puis il commençait immédiatement à interroger les contrôleurs, qui lui présentaient les bordereaux des recettes, et faisaient un petit compte rendu des incidents de la veille : une Américaine était tombée d'une balançoire, le mari de la femme à barbe avait giflé un pochard qui posait des questions stupides, les pingouins avaient la diarrhée, l'éléphant de mer était en rut et devenait inapprochable... Léon réglait toutes les questions avec une autorité souveraine, puis nous faisions le tour du parc, pour dire un mot d'amitié aux pensionnaires, dont la plupart ne comprenaient pas le français.

C'est ainsi que j'ai souvent serré la vaste main du géant (2 mètres 30), et les enfantines phalanges des nains, qui habitaient un village de maisons de poupée; puis je saluais la femme-tronc, qui avait un visage de vierge pré-raphaélite, l'homme-lion dont les yeux brillaient au centre d'une véritable crinière. Je connaissais un peu la vie sociale de ces phénomènes, leurs amitiés, et leurs querelles de préséance, que Léon arbitrait en souriant.

D'autre part, l'installation du photographe à Luna-Park me permettait de placer l'histoire dans un milieu parfaitement stable : une action dramatique supporte fort bien le changement de lieu, s'il est nécessaire, s'il éclaire la situation des personnages, mais non pas le changement de milieu, qui impose une nouvelle atmosphère et un changement de ton : nos classiques le savaient fort bien, qui limitaient le nombre des décors à un seul, et qui interdisaient l'entrée d'un nouveau personnage après le premier acte : seul, le « deus ex machina » était autorisé à surgir, vers la fin de la soirée, pour dénouer artificiellement l'intrigue.

D'autre part, lorsque j'eus écrit les trois premiers actes, je m'aperçus que les personnages que j'avais établis refusaient de participer au dénouement de la réalité; ils m'en imposèrent un autre, que j'acceptai sans discuter.

Dès que la pièce fut terminée, je soumis le manuscrit à plusieurs de mes amis. Ils furent tous d'accord : j'avais réussi un chef-d'œuvre.

Mon ami Albert Willemetz, le célèbre auteur de *Phi-Phi*, refusa de me rendre mon manuscrit, et m'offrit en échange un bulletin de réception pour le Théâtre des Bouffes-Parisiens, qu'il dirigeait.

Il m'annonça en toute certitude que la première aurait lieu dans les premiers jours de novembre 1956, et que par conséquent nous fêterions la 500e vers février 1958.

D'autre part, Madeleine Renaud, l'une des plus parfaites comédiennes de notre temps, aimait beaucoup ma pièce; et regrettait de n'avoir pas l'embonpoint de la grosse Émilie : enfin la grande Elvire Popesco, victime de *Judas*, me reprocha avec une certaine amertume de l'avoir trahie en donnant à Willemetz un ouvrage qui eût fait les beaux jours de son Théâtre de Paris : bref, tout le monde croyait à un immense succès.

Les répétitions commencèrent dans une atmosphère d'enthousiasme et de certitude.

En écrivant la pièce, j'avais pensé à Milly Mathis, qui était exactement le personnage d'Emilie. Ce n'était pas une comédienne artificieuse, maîtresse de ses nerfs et de son talent : c'était une nature, un tempérament, ce que l'on appelle une bête de théâtre, avec une voix claire et puissante, et une articulation parfaite.

Elle était immédiatement habitée par le personnage qu'elle jouait avec un naturel éblouissant. Elle poussait si loin cette identification qu'il lui arrivait d'ajouter des répliques qui lui venaient tout naturellement à la bouche, et qui désorientaient ses partenaires.

Lorsque je lui reprochais ces interpolations, qui n'étaient pas toujours heureuses, elle jurait ses grands dieux qu'elle n'avait rien ajouté, et elle était parfaitement sincère. C'est alors que pour la détromper je fis venir au théâtre un « soundman » muni d'un magnétophone, qui enregistra les petites improvisations de Milly : lorsqu'elle les entendit, elle en fut positivement stupéfaite, et après plusieurs expériences, tout rentra dans l'ordre.

La répétition générale eut lieu. Ce fut un succès, mais moindre que nos espoirs l'avaient prévu. Les invités firent un bon accueil à l'ouvrage; il y eut un grand nombre d'éclats de rire, et la fin fut très applaudie.

– Il faut reconnaître, dit Willemetz, que la troupe n'a pas joué dans le véritable mouvement. Ils n'étaient pas assez sûrs de leur texte, et puis, ce public de générales est blasé, il fait tout son possible pour résister aux effets comiques : tu verras à la première, devant le vrai public.

En effet, après une répétition de mise au point le lendemain après-midi, la représentation du soir fut excellente, mais un quart des fauteuils ne fut pas occupé.

– Ne t'inquiète pas! dit Willemetz : c'est à cause de la presse, qui a fait des réserves...

– Pourtant, Gordeaux dit que Milly Mathis est un Raimu femelle, et une véritable révélation.

– Oui, mais plusieurs autres critiques dénoncent l'amertume de la pièce. Amertume, pour le public, c'est un mauvais mot. Mais rassure-toi. Le public a ri de bon cœur. Dans huit jours la publicité parlée aura totalement effacé les dédains et les perfidies de quelques envieux folliculaires. Je connais bien mon théâtre, et je puis te dire qu'à partir de samedi prochain, nous ferons le plein !

Les premières recettes ne furent pas celles que nous espérions; mais le public riait beaucoup, et applaudissait plusieurs scènes. Willemetz restait confiant.

– Ça va venir, disait-il. Nous montons de 5 à 6 000 francs par jour : je connais bien mon théâtre. Ça va se déclencher tout d'un coup. Ça va venir !

Et il se frottait les mains.

Ce qui vint, ce fut la crise de Suez, et le rétablissement des tickets d'essence.

Le soir même, la recette tomba à 200 000 francs, grâce à la location de la veille, car bien peu de gens se présentèrent au guichet de la caissière.

Willemetz, inaltérable, me dit :

– C'est à cause de l'essence. Ils n'ont pas encore eu le temps de prendre leurs tickets. A mon avis, 200 000 sans essence, ça vaut 450 000 avec de l'essence. Demain, ça ira déjà mieux.

Non, ça n'alla pas mieux.

Comme je lui demandais la recette, il me répondit simplement :

– Avec de l'essence, nous ferions 425 000.

Jusqu'à la fin des cent représentations, il s'en tint à cette moyenne imaginaire, en valorisant un peu plus chaque jour le coefficient qu'il attribuait à l'absence du précieux liquide, car nos recettes réelles faiblirent très régulièrement, comme il est d'usage quand on a un four.

En réalité, le manque d'essence avait porté un coup sensible aux succès de tous les théâtres; mais huit jours plus tard, les salles avaient repris leurs moyennes. Toutes, sauf la nôtre; il fallut arrêter les représentations.

Ce four nous parut inexplicable, car l'essence n'expliquait rien. Si la pièce avait plu au public, ils seraient venus en métro, ou à pied, de Neuilly, ou de Belleville.

La grande loi du théâtre, c'est qu'à moins d'une guerre ou d'une épidémie, aucune cause extérieure n'a d'influence sur le succès d'un ouvrage dramatique.

Pour une pièce, ou un film, une brillante critique, ou une puissante publicité, peuvent assurer les premières recettes : trois jours pour un film, une semaine pour une pièce de théâtre. Rien de plus.

En réalité, quand le public ne vient pas voir un ouvrage de théâtre, c'est que la pièce ne lui plaît pas; mais comment admettre que *Fabien* ne plaisait pas à un public qui riait toute la soirée, et qui applaudissait souvent? Avec Willemetz et les comédiens, nous avons longuement réfléchi au problème, sans en trouver la solution.

Avant d'exposer les conclusions que j'en ai tirées plus tard, il faut rapporter ici une expérience qui m'enseigna une très précieuse leçon.

Lorsque Willemetz nous annonça qu'il serait bientôt forcé d'arrêter les représentations, nous fûmes tous désolés, comme il est d'usage. Puis, pour garder un souvenir de ces représentations triomphales devant des salles à demi pleines, c'est-à-dire à moitié vides, j'eus l'idée d'enregistrer toute une soirée, grâce au magnétophone qui était resté dans la loge du régisseur. Un samedi soir (notre recette atteignait 450 000 « avec de l'essence », soit en réalité 160), je plaçai le microphone près du trou du souffleur, de façon à capter la voix des comédiens et les réactions de la salle. Puis, le lendemain j'écoutai à loisir cet enregistrement, avec un secrétaire qui nota sur un manuscrit les effets, les éclats de rire et les applaudissements qu'il chronométra. Voici les résultats de ce travail.

Effets comiques 122.

Applaudissements 11.

J'ai plus tard répété cette expérience avec *Topaze*, que Gravey jouait au Gymnase.

Effets comiques 71.

Applaudissements 7.

Or, on a joué *Topaze* en France plus de trois mille fois, et *Fabien* cent fois.

J'avais toujours cru, fort innocemment, que la pièce comique qui a le plus grand succès est celle qui fait rire le plus souvent : la triste histoire de *Fabien* prouve que ce n'est pas vrai, et les raisons de notre échec me semblent aujourd'hui évidentes.

D'abord, on constate qu'il n'y a dans cette pièce aucun personnage que l'on voudrait être, ou que l'on aimerait fréquenter; aucun dont on puisse prendre le parti.

Fabien, fainéant, glouton, lubrique et menteur, n'est pas autre chose qu'un petit salaud. On peut mettre en scène des fous, des criminels, des gangsters, des prostituées.

Il n'est pas possible de donner un rôle important à un « petit salaud ».

Le seul personnage sympathique, et qui a une certaine noblesse, c'est la grosse Milly, qui est le centre de l'ouvrage. Elle incarne la pureté, le dévouement, l'amour, mais elle incarne aussi la naïveté qui va jusqu'à la bêtise, et c'est d'elle qu'on a ri toute la soirée : je crois que les rieurs, en sortant du théâtre, regrettent d'avoir ri.

Enfin, ce personnage a fortement déplu aux femmes.

En général, elles jugent assez sévèrement leurs semblables : mais il y a la généralisation immédiate de la scène ou de l'écran.

Dans la vie, il n'est pas impossible qu'un vieux général soit frappé de gâtisme, comme il arrive à d'autres vieillards : ne le mettez jamais sur la scène. Son apparition aux feux de la rampe signifierait qu'à votre avis tous les généraux, depuis la plus haute antiquité, ont été gâteux dès le berceau.

Ainsi, sur les tréteaux des Bouffes, Milly n'était pas « une femme », c'était « la femme », et chaque spectatrice s'est imaginé qu'elle était personnellement visée; après avoir ri de la naïveté de Milly, elle est sortie indignée, et le succès est sorti avec elle.

Telle fut la triste aventure de *Fabien*; il me semble pourtant que cet ouvrage manqué n'est pas entièrement dépourvu d'intérêt : c'est pourquoi, faute de spectateurs, il m'a semblé possible de le soumettre à des lecteurs.

TABLE

VIE DE MARCEL PAGNOL

Marcel Pagnol est né le 28 février 1895 à Aubagne.

Son père, Joseph, né en 1869, était instituteur, et sa mère, Augustine Lansot, née en 1873, couturière.

Ils se marièrent en 1889.

1898 : naissance du Petit Paul, son frère.

1902 : naissance de Germaine, sa sœur.

C'est en 1903 que Marcel passe ses premières vacances à La Treille, non loin d'Aubagne.

1904 : son père est nommé à Marseille, où la famille s'installe.

1909 : naissance de René, le « petit frère ».

1910 : décès d'Augustine.

Marcel fera toutes ses études secondaires à Marseille, au lycée Thiers. Il les terminera par une licence ès lettres (anglais) à l'Université d'Aix-en-Provence.

Avec quelques condisciples il a fondé *Fortunio*, revue littéraire qui deviendra *Les Cahiers du Sud*.

En 1915 il est nommé professeur adjoint à Tarascon.

Après avoir enseigné dans divers établissements scolaires à Pamiers puis Aix, il sera professeur adjoint et répétiteur d'externat à Marseille, de 1920 à 1922.

En 1923 il est nommé à Paris au lycée Condorcet.

Il écrit des pièces de théâtre : *Les Marchands de gloire* (avec Paul Nivoix), puis *Jazz* qui sera son premier succès (Monte-Carlo, puis Théâtre des Arts, Paris, 1926).

Mais c'est en 1928 avec la création de *Topaze* (Variétés) qu'il devient célèbre en quelques semaines et commence véritablement sa carrière d'auteur dramatique.

Presque aussitôt ce sera *Marius* (Théâtre de Paris, 1929), autre gros succès pour lequel il a fait, pour la première fois, appel à Raimu qui sera l'inoubliable César de la Trilogie.

Raimu restera jusqu'à sa mort (1946) son ami et comédien préféré.

1931 : Sir Alexander Korda tourne *Marius* en collaboration avec Marcel Pagnol. Pour Marcel Pagnol, ce premier film coïncide avec le début du cinéma parlant et celui de sa longue carrière cinématographique, qui se terminera en 1954 avec *Les Lettres de mon moulin*.

Il aura signé 21 films entre 1931 et 1954.

En 1945 il épouse Jacqueline Bouvier à qui il confiera plusieurs rôles et notamment celui de Manon des Sources (1952).

En 1946 il est élu à l'Académie française. La même année, naissance de son fils Frédéric.

En 1955 *Judas* est créé au Théâtre de Paris.

En 1956 *Fabien* aux Bouffes Parisiens.

En 1957 publication des deux premiers tomes de *Souvenirs d'enfance* : *La Gloire de mon père* et *Le Château de ma mère*.

En 1960 : troisième volume des *Souvenirs* : *Le Temps des secrets*.

En 1963 : *L'Eau des collines* composé de *Jean de Florette* et *Manon des Sources*.

Enfin en 1964 *Le Masque de fer*.

Le 18 avril 1974 Marcel Pagnol meurt à Paris.

En 1977, publication posthume du quatrième tome des *Souvenirs d'enfance* : *Le Temps des amours*.

BIBLIOGRAPHIE

1926. *Les Marchands de gloire*. En collaboration avec Paul Nivoix, Paris, L'Illustration.

1927. *Jazz*. Pièce en 4 actes, Paris, L'Illustration. Fasquelle, 1954.

1931. *Topaze*. Pièce en 4 actes, Paris, Fasquelle.
Marius. Pièce en 4 actes et 6 tableaux, Paris, Fasquelle.

1932. *Fanny*. Pièce en 3 actes et 4 tableaux, Paris, Fasquelle.
Pirouettes. Paris, Fasquelle (Bibliothèque Charpentier).

1933. *Jofroi*. Film de Marcel Pagnol d'après *Jofroi de la Maussan* de Jean Giono.

1935. *Merlusse*. Texte original préparé pour l'écran, Petite Illustration, Paris, Fasquelle, 1936.

1936. *Cigalon*. Paris, Fasquelle (précédé de *Merlusse*).

1937. *César*. Comédie en deux parties et dix tableaux, Paris, Fasquelle.
Regain. Film de Marcel Pagnol d'après le roman de Jean Giono (Collection « Les films qu'on peut lire »). Paris-Marseille, Marcel Pagnol.

1938. *La Femme du boulanger*. Film de Marcel Pagnol d'après un conte de Jean Giono, « Jean le bleu ». Paris-Marseille, Marcel Pagnol. Fasquelle, 1959.
Le Schpountz. Collection « Les films qu'on peut lire », Paris-Marseille, Marcel Pagnol, Fasquelle, 1959.

1941. *La Fille du puisatier.* Film, Paris, Fasquelle.

1946. *Le Premier Amour.* Paris, Editions de la Renaissance. Illustrations de Pierre Lafaux.

1947. *Notes sur le rire.* Paris, Nagel.
Discours de réception à l'Académie française, le 27 mars 1947. Paris, Fasquelle.

1948. *La Belle Meunière.* Scénario et dialogues sur des mélodies de Franz Schubert (Collection « Les maîtres du cinéma »), Paris, Editions Self.

1949. *Critique des critiques.* Paris, Nagel.

1953. *Angèle.* Paris, Fasquelle.
Manon des Sources. Production de Monte-Carlo.

1954. *Trois lettres de mon moulin.* Adaptation et dialogues du film d'après l'œuvre d'Alphonse Daudet, Paris, Flammarion.

1955. *Judas.* Pièce en 5 actes, Monte-Carlo, Pastorelly.

1956. *Fabien.* Comédie en 4 actes, Paris, Théâtre 2, avenue Matignon.

1957. *Souvenirs d'enfance.* Tome I : La Gloire de mon père. Tome II : Le Château de ma mère. Monte-Carlo, Pastorelly.

1959. *Discours de réception de Marcel Achard à l'Académie française et réponse de Marcel Pagnol,* 3 décembre 1959, Paris, Firmin Didot.

1960. *Souvenirs d'enfance.* Tome III : Le Temps des secrets. Monte-Carlo, Pastorelly.

1963. *L'Eau des collines.* Tome I : Jean de Florette. Tome II : Manon des Sources, Paris, Editions de Provence.

1964. *Le Masque de fer.* Paris, Editions de Provence.

1970. *La Prière aux étoiles, Catulle, Cinématurgie de Paris, Jofroi, Naïs.* Paris, Œuvres complètes, Club de l'Honnête Homme.

1973. *Le Secret du Masque de fer.* Paris, Editions de Provence.

1977. *Le Rosier de Madame Husson, Les Secrets de Dieu.*

Paris, Œuvres complètes, Club de l'Honnête Homme.

1977. *Le Temps des amours*, souvenirs d'enfance, Paris, Julliard.

1981. *Confidences*. Paris, Julliard.

1984. *La Petite fille aux yeux sombres*. Paris, Julliard.

Les œuvres de Marcel Pagnol sont publiées dans la collection de poche « Fortunio » aux éditions de Fallois.

Traductions

1947. William Shakespeare, *Hamlet*. Traduction et préface de Marcel Pagnol, Paris, Nagel.

1958. Virgile, *Les Bucoliques*. Traduction en vers et notes de Marcel Pagnol, Paris, Grasset.

1970. William Shakespeare, *Le Songe d'une nuit d'été*. Paris, Œuvres complètes, Club de l'Honnête Homme.

FILMOGRAPHIE

1931 – MARIUS (réalisation A. Korda-Pagnol).
1932 – TOPAZE (réalisation Louis Gasnier).
FANNY (réalisation Marc Allégret, supervisé par Marcel Pagnol).
1933 – JOFROI (d'après *Jofroi de la Maussan* : J. Giono).
1934 – ANGÈLE (d'après *Un de Baumugnes* : J. Giono).
1934 – L'ARTICLE 330 (d'après Courteline).
1935 – MERLUSSE.
CIGALON.
1936 – TOPAZE (deuxième version).
CÉSAR.
1937 – REGAIN (d'après J. Giono).
1937-1938 – LE SCHPOUNTZ.
1938 – LA FEMME DU BOULANGER (d'après J. Giono).
1940 – LA FILLE DU PUISATIER.
1941 – LA PRIÈRE AUX ÉTOILES (inachevé).
1945 – NAÏS (adaptation et dialogues d'après E. Zola, réalisation de Raymond Leboursier, supervisé par Marcel Pagnol).
1948 – LA BELLE MEUNIÈRE (couleur Roux Color).
1950 – LE ROSIER DE MADAME HUSSON (adaptation et dialogues d'après Guy de Maupassant, réalisation Jean Boyer).
1950 – TOPAZE (troisième version).
1952 – MANON DES SOURCES.
1953 – CARNAVAL (adaptation et dialogues d'après E. Mazaud, réalisation : Henri Verneuil).

1953-1954 – LES LETTRES DE MON MOULIN
    (d'après A. Daudet).
1967 – LE CURÉ DE CUCUGNAN (moyen métrage
    d'après A. Daudet).

IMPRIMÉ EN FRANCE PAR BRODARD ET TAUPIN
Usine de La Flèche (Sarthe), le 18-05-1992.
6618F-5 - N° d'Éditeur 73, dépôt légal : mars 1990.

ÉDITIONS DE FALLOIS - 22, rue La Boétie - 75008 Paris
Tél. 42.66.91.95